Plus jamais demain...
JE PRENDS
MON TEMPS EN MAIN

Distribution pour le Canada:

2185, autoroute des Laurentides
Laval (Québec) H7S 1Z6
Téléphone: (450) 687-1210
Télécopieur: (450) 687-1331

Yannick Bouguyon

Plus jamais demain...
JE PRENDS
MON TEMPS EN MAIN

Comment concilier
tous les aspects de votre vie
sans vous culpabiliser!

LES ÉDITIONS
PUBLISTAR
QUEBECOR MEDIA

LES ÉDITIONS PUBLISTAR
Une division des Éditions TVA inc.

7, chemin Bates
Outremont (Québec) H2V 4V7

Directrice des éditions: Annie Tonneau

Direction artistique: Benoît Sauriol

Révision: Paul Lafrance, Corinne De Vailly, Luce Langlois
Infographie: Roger Des Roches – SÉRIFSANSÉRIF

Couverture: Michel Denommée
Photo de l'auteure
    et de la couverture: Daniel Auclair
Stylisme, coiffure
    et maquillage: Macha Colas
Vêtements: Rodier

Nous reconnaissons l'aide financière du gouvernement du Canada par l'entremise du Programme d'aide au développement de l'industrie de l'édition (PADIÉ) pour nos activités d'édition.

Gouvernement du Québec — Programme de crédit d'impôt pour l'édition de livres — Gestion SODEC.

Ce livre est dédié à mes amours,
Benoit, Gabrielle et Rebecca.

Remerciements

Je remercie mon éditrice, Annie Tonneau, de m'avoir donné cette incroyable chance de réaliser l'un de mes 100 regrets, de même que pour son dévouement et son efficacité. Elle a vu et elle a cru en ma vision, tout comme ma correctrice hors pair.

Je tiens à remercier chaleureusement tous ceux et toutes celles qui m'ont appuyée durant mon processus de «ponte». Sans le soutien de toutes et de tous, je n'aurais jamais réussi à clarifier mes idées. Je voudrais saluer aussi les magiciens des mots et des arts, qui ont pris un texte bizarrement monté et en ont extrait un chef-d'œuvre.

Merci à mon massothérapeute pour ses informations sur la détente, et pour ses mains!

Je voudrais remercier mon dernier patron, Martin, de m'avoir mise à pied. Je voudrais aussi remercier l'un de mes modèles de femme extraordinaire, Danielle, qui m'a inculqué que tout est possible quand on est plus dur que les durs à cuire.

Merci à Cathy pour sa question à un million, à mes clients qui me procurent un sentiment de faire quelque chose de bien, chaque jour.

Je garde une petite pensée pour une grande dame américaine qui a su utiliser sa popularité et sa visibilité dans toute l'Amérique du Nord pour faire du bien et nous donner envie de remettre de l'intégrité en chacun de nos actes : Oprah Winfrey ! Je souhaite un jour pouvoir la remercier de vive voix.

Ma mission de vie

Je me suis donné pour mission d'inspirer et d'outiller les autres afin de les inciter à voir grand, à reconnecter leur cœur et leur esprit, à croire en leurs capacités, pour ainsi améliorer le monde, une personne à la fois.

Les coachs agissent en quelque sorte comme des consultants de l'âme, suscitant des questionnements et guidant leurs interlocuteurs vers la découverte d'eux-mêmes et de leurs richesses insoupçonnées.

Le partenaire objectif

L e coach vous aide à faire la lumière sur vos sentiments, sans crainte d'être jugé.

Cet ouvrage vous propose de savoir tirer toutes les ficelles que ce partenaire peut mettre entre vos mains.

Je vous offre des stratégies simples, efficaces, afin de transformer votre vie et de prendre en main votre destinée… À vous de vous en servir et de les exploiter au mieux !

Dès maintenant, je vous propose de réaliser vos rêves trop souvent remis à plus tard. La majorité d'entre vous avez les idées et le talent nécessaires pour les concrétiser avec un minimum de soutien. Ce guide vous donne l'occasion de vous recentrer sur vos valeurs fondamentales, de dénicher vos talents cachés, de clarifier vos priorités. Vous y trouverez également des pistes pour débusquer vos mauvaises habitudes et les transformer en de nouvelles habitudes positives en vue d'atteindre les buts que vous vous êtes fixés. À ce propos, le dernier chapitre vous aidera à vous ouvrir à une vision nouvelle de votre propre vie et vous permettra de renouer avec de vieux rêves oubliés pour les transposer en objectifs réalisables, et ce, en moins de 12 mois.

Je vous recommande de lire les chapitres dans l'ordre, car cela vous permettra de progresser au fil de la lecture.

La vie est comme un sport extrême. Si vous aviez les mêmes atouts qu'un athlète – c'est-à-dire si vous savez allier grâce à un entraînement régulier la force de la vision, l'énergie du travail d'équipe et le soutien personnalisé –, quelle différence cela ferait-il dans votre vie? C'est ce que je vous propose de découvrir.

Introduction

Au fil des pages, je vous convie à revisiter et à mieux saisir quatre éléments constituant les bases d'une vie. Ces éléments sont traités dans les premiers chapitres : il s'agit des valeurs, des forces, des priorités et des habitudes. Ces éléments vous sont déjà familiers, vous transigez avec eux chaque jour, tout en ignorant le plus évident, c'est-à-dire ce qui constitue vos bases de vie.

Je ne vous propose rien d'inconnu. Pas de grandes révélations visionnaires, pas d'illumination divine. Non, je vous offre simplement d'effectuer un retour vers le gros bon sens.

Ce guide se veut un survol de quelques outils proposés en consultations privées, pour vous permettre d'être informé, d'arrêter quelques minutes et de réfléchir à ce qui est important pour vous, pour ensuite agir en toute intégrité, selon votre personnalité.

Par le biais d'exercices simples mais révélateurs (voir la section 2 de chaque chapitre) et des trucs tout bêtes mais combien utiles à intégrer dans votre quotidien, vous pourrez amorcer le processus de transformation – en douceur, en simplicité et avec plaisir…

Commençons, alors !

Chapitre 1

Les valeurs

'être humain se distingue des autres mammifères par ses valeurs fondamentales, ses principes. Nos talents et nos forces naturelles constituent des éléments qui forment la trame sur laquelle chaque jour notre vie tisse nos actions, ce qui est primordial.

Les priorités (ce que je mets dans ma vie) sont constituées de toutes ces actions qui composent le quotidien. Le monde moderne incite chacun à *gérer ses priorités*, mais aussi à y ajouter plus d'activités, de sorties, de tâches, de déplacements, de projets, etc., au détriment de sa santé, malgré une petite voix intérieure qui conseille le contraire.

Les priorités constituent en fait la base de notre intégrité. Qui a dit qu'il fallait être parfait? Être ce que je suis à part entière et vivre au diapason de mes valeurs, n'est-ce pas amplement suffisant?

Vous recherchez la perfection, alors pourquoi avez-vous peur de la personne idéale qui se cache en vous?

EXEMPLE

Il suffit d'imaginer la vie comme une coupe contenant tous les éléments du quotidien. Certains «éléments» sains procurent énergie et bien-être, d'autres, qu'on pourrait qualifier de malsains, procurent stress et malaise.

Lorsque la coupe est pleine à ras bord, que se passe-t-il si on essaie d'y ajouter un élément, même s'il est sain? Cet élément propice à une bonne santé risque de tomber par manque d'espace. La meilleure idée n'est-elle pas de garder en permanence de la place dans la coupe pour y laisser entrer les éléments sains et de se débarrasser de ceux qu'on juge malsains?

Les habitudes de vie (**ce que je fais**) constituent **parfois** des choix judicieux, parfois non. On pourrait résumer ceci en ces quelques mots: comment garder ce qui est bon dans la coupe? Préfère-t-on conserver dans sa coupe les éléments favorisant sa santé ou bien ceux entraînant son malaise?

Vous me direz que tout ça est très simpliste. Eh bien, oui! Pourquoi toujours faire dans le compliqué et le difficile?

La gestion du temps ne passe en aucune manière par le nombre d'heures que nous avons à notre disposition.

La gestion de vie est ce que nous décidons de faire de notre temps, avec ce qui est le plus important pour nous: nos sources d'énergie.

Nous pouvons choisir de les économiser ou de les brûler à en souffrir. Nous pouvons utiliser nos sources d'énergie afin de vivre selon notre mission de vie, en respectant notre intégrité, ou encore les utiliser en ayant peur de ce que nous sommes.

La stratégie

Reconnaître ses valeurs permet d'établir les fondations de sa vie.

EXEMPLE

Un jour, j'ai découvert que mon travail et mon statut social ne m'apportaient pas un sentiment du devoir accompli. Le simple fait d'imaginer une vie comblée, riche et stimulante me laissait perplexe et surtout frustrée: «Pourquoi, moi, je n'y arrive pas?» Je me suis alors posé la question suivante: «Est-ce possible de réussir et comment y arriver?»

Dès qu'on fait une demande (une prière, une intention), l'univers nous envoie une réponse. Il faut toutefois être vigilant, car la réponse est souvent discrète et difficile à percevoir.

Comment décoder la réponse de l'univers?

Dans mon cas, la réponse s'est manifestée par le biais d'un livre, *Prendre le temps pour sa vie,* par Cheryl Richardson, coach reconnue aux États-Unis. L'une des toutes premières phrases qui m'a frappée se lisait ainsi: «Si pour vous le mot égoïste est un mot *sale,* lisez ce qui suit…» Je me suis demandé: «Comment a-t-elle su?» J'ai lu et fait les exercices, et plus je me connectais à moi-même, plus j'obtenais des réponses. Après plusieurs mois, au cours desquels j'ai transformé certains aspects de ma vie qui me déplaisaient, j'en suis venue à comprendre que j'avais trouvé ma route, ma voie. J'étais une coach… en devenir!

Les faits se sont précipités, les doutes et les peurs également, jusqu'au jour où j'ai manifesté une autre intention (prière). Je peux vous dire que la réponse fut rapide; mes priorités de vie ont été mises au défi de façon vigoureuse, comme vous le verrez en détail dans le chapitre 3.

L'une des valeurs reléguées aux oubliettes par beaucoup d'entre nous, surtout les femmes, est l'estime de soi. J'entends régulièrement des femmes dire: «Je veux m'aimer assez pour prendre soin de moi, sans me sentir culpabilisée à outrance et sans toujours penser que c'est agir de façon égoïste.» N'est-ce pas le vœu de toute superwoman?

HISTOIRE DU ROSBIF

Une femme mariée depuis 30 ans avait pour habitude de découper les extrémités du rosbif avant de le mettre au four. Son mari, curieux de cette pratique depuis bon nombre d'années, se décida enfin à lui en demander la raison. La femme le regarda, éberluée, et répondit que sa mère faisait ça et que son rosbif était toujours succulent. Une semaine plus tard, le mari demanda à sa belle-mère la raison de sa curieuse habitude. Elle répondit : «Ma mère faisait ça avant de le faire cuire.» Perplexe devant une telle réponse et conscient d'avoir la chance inouïe de pouvoir consulter l'aïeule toujours en vie, il alla demander à la vieille dame ce qu'il en était de cette curieuse habitude. Elle prit un certain temps avant de répondre, se remémorant les faits, puis dit : «Eh bien, le morceau de viande était toujours trop gros pour mon plat, c'est pourquoi je coupais les extrémités et les faisaient cuire à part.»

Voilà un exemple qui montre bien que les vieilles habitudes ont la vie dure et se transmettent de génération en génération sans que plus personne ne sache trop pourquoi !

**Il nous faut revoir nos bases.
Prendre soin de nous-même commence
par choisir d'être égoïste.**

Lors d'un séminaire auquel j'assistais récemment à Toronto, le Dr Phil McGraw a prononcé une phrase que je trouve percutante : « Si tu veux prendre soin de tes enfants, prends soin de leur mère. »

Reconnaître nos archétypes

Les archétypes sont ces comportements typiques qui nous font agir et réagir. Les reconnaître permet de nous rendre compte que notre manière de faire face à certaines situations ne reflète pas forcément notre véritable nature. Les comportements sont régis par des conditionnements issus de l'enfance et de diverses expériences vécues au fil des ans. Ces comportements nous gouvernent.

Pour citer le Dr Carl Jung

Le célèbre Carl Jung fut le premier à porter la théorie des archétypes à la conscience humaine. Les archétypes sont « des formes définies de la psyché qui semblent être présentes en tout temps et en tout lieu. »

Je ne fais ici que citer ces études, loin de moi l'idée de me prétendre experte dans le domaine. Mais j'avoue avoir toujours été fascinée par ce concept. Selon ma propre définition, les archétypes sont des comportements que nous adoptons sans laisser notre véritable nature à l'œuvre. Nous nous basons trop souvent sur des « kits » de comportements prêts à utiliser en toutes circonstances et nous forçant à agir et à

réagir de façon prédéterminée. Voilà ce qui nous pousse à perpétuer des comportements qui ne sont pas les nôtres. Les mythologies grecque et romaine sont remplies d'archétypes.

Quand on traite quelqu'un de *diva*, pas besoin d'expliquer le concept, on comprend sans détour. Une personne peut avoir un certain comportement; par exemple, penser et agir *en victime*, mais cela ne signifie pas qu'elle *est* une victime. Elle adopte un comportement la poussant à faire certains choix, sans que ce soit vraiment dans sa personnalité. Si elle prend conscience de ce fait, elle sera en mesure de prendre des décisions en accord avec ses valeurs propres.

> **Nous ouvrir et découvrir notre mission de vie nous permet de percevoir les cadeaux de l'univers: les coïncidences, les rencontres fortuites, les moments opportuns, les occasions d'une vie.**

Mission de vie

Mme Myss, auteure de *Contrats sacrés*, cite, pour sa part, notre contrat avec le divin afin de remplir une mission sur terre. Pour elle, ce contrat se fonde sur les relations qui existent entre le divin et les lois de l'univers, chaque fois que nous exerçons notre faculté de choisir. «Lorsque je choisis, il y a une conséquence, peu importe qui je suis.»

Chaque âme se divise en une multitude de fragments qui explorent l'univers afin de la former intégralement.

Tout au long d'une vie, on établit des contacts avec beaucoup de gens. Après avoir croisé quelqu'un qui dégage un «petit quelque chose» de très attirant, on peut ressentir un sentiment de vide quand on se retrouve seul. L'âme sœur des rencontres amoureuses en est un exemple. Toujours selon Mme Myss, il y a plus fort encore. Pensons à ces gens qui jouent, au cours de notre vie, différents rôles, tous très importants dans notre quête de nous-même. Ce sont nos *nobles amis*, des gens que nous sommes *destinés* à rencontrer et que nous *devons* rencontrer.

La lecture de ces propos m'a beaucoup ébranlée, car comme le dit Mme Myss, «[…] peu importe le nombre d'occasions de les rencontrer qui s'échappera, nous finirons par les rencontrer, peut-être plusieurs fois, jusqu'à ce que nous ayons terminé ce que nous avions à régler dans l'échange de nos âmes.»

> **Croire que chaque expérience renferme une leçon bénéfique à notre croissance, nous rapprochant ou nous éloignant de notre véritable mission sur terre – cette vie qui nous est destinée… – est déjà un pas dans le bon sens.**

Coïncidences ou pas

Vous avez sûrement déjà entendu ou affirmé: «le moment était propice» ou «par je ne sais quel hasard, on est tombés l'un sur l'autre». La science attribue ce facteur à la théorie

du hasard. Mais les hasards, selon le Dr Jean-François Vézina, sont nécessaires. Dans son dernier ouvrage, *Les hasards nécessaires*, il nous explique ce que sont les synchronicités.

Accepter nos côtés obscurs permet de rallier tous les aspects de nos caractéristiques personnelles. Il ne faut pas les subdiviser en qualités et en défauts.

Le développement personnel est la quête du «vrai moi». Nous défaire des comportements souvent malsains ou débilitants signifie accepter nos faiblesses et nous en faire des alliées menant vers une plus grande connaissance de soi.

La relation Ombre et Lumière que nous avons en chacun de nous est nettement «éclairante». Debbie Ford, du Ford Institute for Integrative Coaching, en parle dans son ouvrage *The Dark Side of the Light Chasers*.

On peut voir dans certains de ces termes des connotations négatives, mais ce n'est nullement le cas. N'oublions pas que la religion, la nature même, font référence aux forces et aux faiblesses, à l'ombre et à la lumière, au bien et au mal, au positif et au négatif: l'opposition réside dans tout.

L'équilibre réside dans le contrepoids entre forces opposées.

> *On peut tout posséder et ne rien avoir.*

Source de conflits, de doutes et d'erreurs pour bien des humains, la culpabilité de vivre avec cette opposition n'est pas facile à gérer. La société pousse chacun à la perfection. Mais la perfection est un paradoxe dans la nature, elle ne reflète qu'un manque d'équilibre.

La peur de nous avouer «imparfaits»

L'acceptation de nos propres limites nous permet de mettre nos zones d'ombre, celles-là mêmes qui nous font tant peur, en pleine lumière. Le côté lumineux de nos personnalités (qualités) constitue cet aspect si recherché dans le monde actuel.

Le côté ombre (défauts) devient hostile lorsqu'il est refoulé, caché et non accepté. Faire la lumière sur ces zones d'ombre, les accepter comme partie intégrante de notre personnalité, c'est permettre à un individu d'être entier et de s'offrir une plus grande capacité de choix. C'est lui donner la conviction qu'il est possible d'arriver à tout.

La confusion générale qui règne dans la société serait-elle due au fait que nos ombres (faiblesses) sont nourries par l'envie, mais aussi par la crainte du pouvoir? Redécouvrir notre propre pouvoir de créer notre vie telle qu'on la désire, telle qu'elle nous est destinée, sans plier sous le poids des pressions et des obstacles, est pourtant un objectif réaliste.

Intégrer nos valeurs envers et contre tous.
Vivre avec intégrité, malgré tout, en créant
notre propre ligne de conduite de vie.

Qui êtes-vous?

Faites-vous ce que vous aimez? (Êtes-vous astreint à un travail bien loin de votre idéal?)

Avez-vous le temps, les moyens, l'envie, l'énergie de réaliser vos rêves les plus fous?

*N'entendons-nous pas fréquemment
« j'ai peur du succès » ?*

L'ambiguïté, entre ce que nous disons et ce que nous faisons, complique nos vies. Nous valorisons certains principes, pourtant c'est l'opposé que nous mettons en pratique.

Le cœur et l'esprit se trouvent donc en perpétuel conflit. Nous évoluons dans la vie en gardant une idée confuse de ce qui est véritablement désiré. Inévitablement, nous perdons alors contact avec notre passion et, par ricochet, avec notre mission de vie.

L'être humain est un diamant à plusieurs facettes. Tout comme pour cette pierre précieuse, chaque facette reflète un aspect de son identité globale. La base est identique pour chacune de ces pierres, mais le nombre et la forme des facettes changent et différencient chaque diamant. Il en va de même pour chaque individu.

Ma perception

Sans m'en rendre compte, j'ai toujours été en contact avec ces symboles que sont les archétypes. De par mon expérience en tant que «coach féminin», j'ai déterminé que ma clientèle se compose de différents types de personnalités, avec des besoins et des attentes bien précis. Maintenant, je suis en mesure de proposer des outils adaptés pour permettre à chacun, femme ou homme, d'aller plus loin.

C'est ce cheminement que vous trouverez dans ce guide. Je vous propose un programme de transformation de votre vie actuelle pour accéder à votre vie de rêves.

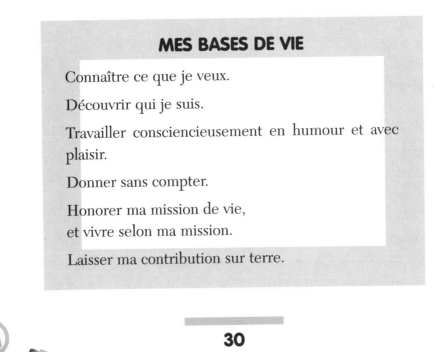

MES BASES DE VIE

Connaître ce que je veux.

Découvrir qui je suis.

Travailler consciencieusement en humour et avec plaisir.

Donner sans compter.

Honorer ma mission de vie,
et vivre selon ma mission.

Laisser ma contribution sur terre.

Le besoin de prendre soin de soi (sans culpabiliser),
de trouver l'équilibre, de concilier famille et travail,
voilà ce que j'entends chaque jour. J'ai pu déterminer
un dénominateur commun à cette quête de mieux-
être: l'oubli de soi; on a pris l'habitude d'accorder
la priorité à tout et à n'importe quoi, sauf à soi-même!

Quand perfection rime avec destruction
Analyse d'un cas fictif à partir de situations réelles.

Le profil

Chantalle est une femme «parfaite» de 33 ans. Elle s'oc-
cupe seule de ses quatre enfants depuis deux ans. Elle est
femme de tête, menant une solide carrière de travailleuse
autonome depuis cinq ans, mais est très préoccupée par le
fait d'être et de paraître «parfaite» en tout temps.

La raison de la consultation

Chantalle me consulte, car elle veut prendre soin d'elle.
Elle se tourne vers moi pour que je l'aide dans sa gestion du
temps, afin de tout concilier «*productivement*». Sa peur de
s'avouer imparfaite, de même que sans ressources et sans
temps pour elle, l'a rendue à bout de souffle.

L'application du coaching

En réalité, son véritable besoin est de déterminer ce qui est important pour elle (ses valeurs et ses priorités). Elle veut les clarifier et les accepter. Elle veut arrêter de courir après une image illusoire et destructrice de la perfection.

En premier lieu, je lui ai fait déterminer ce qu'elle voulait en plus et ce qu'elle voulait en moins, dans sa vie. Les quelques exercices à cet effet ont porté fruit aisément. Son sentiment de «contrôle» sur son emploi du temps a été rapide, ce qui l'a motivée à s'ouvrir davantage à ce que je lui proposais. Mais après plusieurs changements insatisfaisants apportés à son horaire de travail, nous avons repris tout à zéro, pour déterminer «un idéal» respectant son rythme.

Chantalle a ensuite évalué le but de son entreprise et les «vrais» objectifs et motivations qu'elle s'engageait à atteindre, tout en restant fidèle à elle-même et à sa valeur d'experte.

Le bilan (sommaire) de ses valeurs fondamentales

Amour et amitié, famille, connaissances, compétence, liberté et indépendance, développement et formation personnels, contact avec le public, voilà quelques-unes de ses valeurs fondamentales.

Elle a accepté qu'elle a des besoins et s'est donné la permission de les combler en étant «égoïste». Sa perception de sa valeur en tant que femme et professionnelle a

radicalement changé, lui permettant d'investir son temps là où ses compétences et ses talents étaient les mieux mis à profit.

Elle en est arrivée à cerner ses fondements de vie et ses valeurs fondamentales, que je vous ai énumérés sommairement, à établir une liste de priorités «absolues», non négociables, qui lui permettent de garder la tête hors de l'eau, même quand il s'agit d'une tempête dans un verre d'eau.

Le constat

Grâce à nos rencontres, depuis près d'un an, en établissant des objectifs annuels concrets et un plan d'action trimestriel afin de les réaliser successivement, Chantalle voit aujourd'hui ses affaires en croissance constante. Elles ont augmenté de plus de 60 %. Elle sait investir du temps pour concevoir un nouveau programme de formation qui répond à un besoin criant dans son domaine, en saisissant l'occasion qui s'est «par hasard» présentée à elle.

Je peux vous dire...

Chantalle a trouvé des façons simples de déléguer certaines tâches à ses enfants (faire leur lit eux-mêmes, préparer en partie leurs lunchs, participer aux tâches ménagères), ce qui lui permet de consacrer au moins une heure par jour à ses passions – la natation et le golf – ou juste à se relaxer dans un bain!

Elle a accepté que voyager faisait partie de ce qu'elle aimait; elle planifie donc dorénavant au moins un voyage par an, seule ou entre copines. Elle a repris sa santé physique en main, elle est épanouie et active.

Maintenant, nous travaillons à l'atteinte de nouveaux objectifs.

Attention, Chantalle arrive!
Cette année tout va exploser
dans sa vie de rêves!

SES BASES DE VIE

Prendre tout le temps nécessaire pour soi.

Être présente pour ses enfants.

Offrir un service exceptionnel et lucratif pour elle.

Faire ce qu'elle aime et ce pour quoi elle est douée.

Accepter et faire confiance.

Solution créative...

Depuis toujours, Denise voulait désespérément partir en croisière. Mais ses moyens ne le lui permettaient pas. Mère au travail avec de jeunes enfants à la maison et un conjoint

occupant un emploi saisonnier, elle ne pouvait que conclure que les conditions ne se prêtaient guère à cette fantaisie.

Denise est douée d'une extraordinaire imagination. Lors de l'une de nos séances visant à trouver des substituts pouvant lui apporter le même sentiment de plénitude que ses rêves de toujours, elle a eu une idée tout à fait géniale. Avec la complicité d'une bonne amie, elle a bricolé sur la terrasse de sa résidence un décor de croisière avec des guirlandes lumineuses, comme celles des terrains de camping. Elle et sa copine ont installé une bouée au bout du patio, une table pour deux, des chandelles et tout un décor. Elles ont concocté un menu gastronomique et convenu que l'amie s'occuperait de la cuisine pendant que le conjoint jouerait au serveur. Lorsque Jean, le conjoint de Denise, est arrivé à la maison, il a trouvé un message accroché à la porte: «Dirige-toi directement au sous-sol.» Il y a découvert des vêtements de soirée prêts à enfiler, et d'autres consignes sur l'heure d'«embarquement».

La soirée s'est déroulée à merveille, le moment était magique. Denise a pleinement goûté son sentiment d'être en croisière. Ce sentiment lui a même permis de convenir d'un plan d'action avec son conjoint: leur prochain anniversaire de mariage se déroulerait à bord d'un bateau.

Leur projet consistait à prendre l'habitude d'économiser une minime mais suffisante somme pour se permettre cette folie, tout en ne sacrifiant rien au bien-être de la maisonnée. Denise convient qu'on trouve toujours quelques dollars par semaine *«dépensés inutilement»*, mais elle pense maintenant qu'ils peuvent être *«investis ingénieusement»* en accord avec ce qu'elle chérit tant, sans pour autant nuire aux siens.

Exercice 1
Découvrir ses valeurs fondamentales

- Voici une liste des valeurs humaines les plus communes.
- Déterminez celles qui sont les plus importantes pour vous.
- Cochez la colonne appropriée, en fonction de son importance. Vous pouvez regrouper les valeurs ayant la même signification pour vous.

Note : n'ayez aucune hésitation quant aux valeurs de la colonne « Toujours très important ».

Valeurs	Toujours très important	Souvent important	Peu ou pas important
Aider les autres			
Amitié, amour			
Argent (salaire)			
Attitude positive			
Aventure (défis)			
Changement et variété			
Communauté			
Compétence			
Contact avec le public			
Courage			
Créativité (nouvelles idées)			
Croyances religieuses			
Développement et formation personnels			
Discipline			
Entreprenariat			
Équilibre			
Famille (conjoint, enfants)			
Intégrité (honnêteté)			
Intelligence			
Liberté, indépendance			
Loyauté			
Paix (tranquillité d'esprit)			
Plaisir (joie de vivre, humour, divertissement)			
Pouvoir (autorité, influence sur les autres, prise de décision)			
Reconnaissance			
Respect			
Responsabilité			
Réussite professionnelle			
Santé (bonne alimentation, exercice, apparence physique, repos, énergie)			
Sécurité et stabilité (carrière et revenu assuré)			
Sexualité			
Statut social			

Exercice 2
Vivez-vous dans l'intégrité?

• Répondez à ces questions:

Quel genre de vie voulez-vous mener?

_____

_____

_____

Qu'est-ce qui vous différencie des autres?

_____

_____

_____

Y a-t-il un obstacle entre vous et votre bonheur?

_____

_____

_____

De quelle manière faites-vous la différence dans la vie d'autrui?

_____

_____

_____

Prenez-vous les moyens nécessaires afin de vivre vos rêves?

_____

_____

_____

Exercice 3
Ce que j'aime faire «égoïstement»

• Quels sont vos petits plaisirs, vos grandes joies?

(Par exemple, prendre un bain moussant à la lueur de dizaines de chandelles tous les mardis soir après que les enfants sont couchés, ou déguster dans un petit café les samedis après-midi un gros morceau de gâteau au chocolat tout en feuilletant votre magazine favori.)

Exercice 4
Quels sont les obstacles à la réussite dans votre vie?

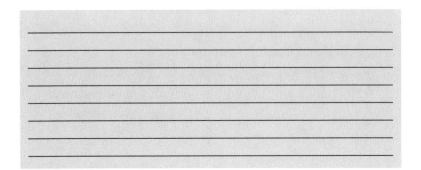

Outils à intégrer au quotidien
Liste de 10 valeurs fondamentales

- Mettez maintenant vos valeurs de la colonne «Toujours très important» par ordre de priorité, de 1 à 10.
- Si vous hésitez entre deux valeurs, demandez-vous: «Si je devais me détacher de l'une, laquelle abandonnerais-je?»
- Cette liste est à la base des fondations de votre vie.

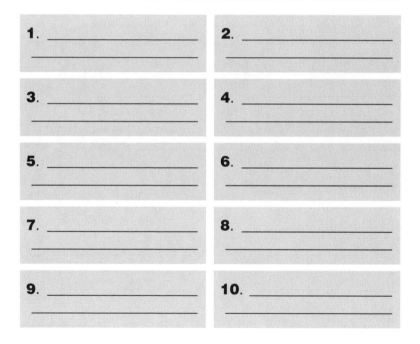

1. _____

2. _____

3. _____

4. _____

5. _____

6. _____

7. _____

8. _____

9. _____

10. _____

Notes

Chapitre 2

Les talents naturels

Dans la société actuelle, il semble que les gens passent leur temps à faire une multitude de choses, sans se concentrer sur celles où ils excellent.

TRUC

Si vous n'arrivez pas à déterminer une activité que vous faites aisément et qui vous énergise, allez à la page 60 sans tarder.

Qu'est-ce qu'un talent naturel?

Cela pourrait se résumer ainsi: ce qui suscite mon intérêt et m'énergise, que je fais aisément et avec brio, sans effort ni préparation particulière. Ce qui me passionne au point que j'en j'oublie tout le reste et qui me permet d'être vraiment moi-même.

En fait, un talent naturel, c'est cette petite chose que vous faites et qui laisse votre entourage béat d'admiration. Cette petite chose qui semble ne pas être *si* facile pour les autres.

Chacun de nous a reçu plusieurs dons à la naissance. Les découvrir pour ensuite s'en servir constitue une quête pour beaucoup d'entre nous. Car le problème, c'est que ces dons ne sont pas évidents pour tous.

Cela fait en sorte que bon nombre de personnes restent dans un milieu de travail qui ne convient pas à leurs dons innés. Chez d'autres, par contre, très tôt dans leur vie, leurs talents s'imposent d'eux-mêmes et dictent leurs actions le reste de leur existence.

La stratégie

Comment découvrir et mettre vos talents à profit dans votre vie personnelle et professionnelle?

EXEMPLE

Céline Dion, comme elle le raconte, a toujours rêvé de chanter. Les occasions se sont présentées.

Elle se focalise dans ce qu'elle fait avec brio et aisance, allant même jusqu'à perfectionner encore plus ce talent incroyable. Elle s'est aussi alliée à un autre talent, celui de son gérant, pour qu'il fasse avec maestria ce en quoi il excelle. L'addition des deux talents a donné ce que l'on connaît aujourd'hui: une star internationale.

> Voilà ce en quoi réside la réussite :
> **Réussite = talents innés + maximisation**
> **des efforts pour des résultats hors du commun**

Selon Dan Sullivan, coach américain, *« [...] if you spend too much time on weaknesses, you end up with a lot of strong weaknesses »*; en traduction libre, cela donne : « Si vous consacrez trop de temps à vos faiblesses, vous finirez avec beaucoup de grandes faiblesses. »

Comment reconnaître vos forces naturelles ?

Tout comme les valeurs fondamentales, les forces, les talents, les aptitudes ainsi que les champs d'intérêt restent à découvrir. Être à l'affût des détails de votre quotidien, voilà le meilleur moyen d'arriver à les reconnaître et de vous faire prendre conscience de votre potentiel. Pour vous y aider, je vous recommande une chose : **posez-vous des questions.**

« Qu'est-ce qui m'énergise, qu'est-ce qui me procure une satisfaction telle que je ne ferais que ça, chaque jour ? »

« Qu'est-ce qui me semble si facile et paraît pourtant si difficile pour la majorité ? »

« Que puis-je créer en me servant de mes forces innées ? »

Suivre la piste de vos talents

La première attitude à adopter est de concentrer vos énergies sur les activités qui correspondent à ce que vous faites brillamment.

« La vie n'est qu'une suite de choix offerts à chacun. Je choisis d'honorer qui je suis, ce que je suis. Je choisis d'en faire ma philosophie de vie et de rester intègre vis-à-vis de ma véritable identité, de mon authenticité. Je choisis de m'accomplir par un travail mettant à profit mes capacités naturelles. » Voilà des pensées positives préférables, qui donnent de bien meilleurs résultats que des pensées défaitistes.

Les mauvaises habitudes de vie, les peurs et le stress sont fréquemment liés aux choix ne respectant pas nos capacités, donc notre intégrité.

> *« Aimer ce que l'on fait,*
> *et faire ce que l'on aime. »*

Le choix est toujours sien – tout comme le droit de changer d'idée et de réévaluer les conséquences de sa décision. La renégociation du *deal* que l'on fait avec soi ou avec les autres, sans culpabiliser ou croire que l'on manque à sa parole, reste notre droit, afin de permettre un échange donnant, donnant.

Agir avec intégrité

Dites-vous que chaque «il faut», comme dans «il faut que je gagne ma vie et voie à mes obligations», est un indice vous mettant la puce à l'oreille et vous faisant comprendre que vous trahissez votre personnalité, que vous ne vous respectez plus.

> *Agir avec intégrité n'est pas*
> *un concept à assimiler,*
> *mais une habitude*
> *à intégrer à sa vie.*

Agir avec intégrité signifie honorer ses engagements envers **Soi,** arrêter de perpétuer des comportements autodestructeurs vis-à-vis de :
- sa santé ;
- sa carrière ;
- ses finances (au bord du gouffre).

Il faut faire de même dans ses relations. On doit cesser de tolérer des relations abusives (non harmonieuses), ne plus accepter d'être maltraité (sous divers aspects, et non seulement physiques, comme être battu ou violenté). On ne peut plus tolérer des comportements ou des remarques blessantes et désobligeantes de la part d'un frère, d'une belle-mère, de qui que ce soit.

Agir avec intégrité signifie honorer ses engagements envers **Autrui**: éliminer les manquements à ses engagements, par pure paresse. Chose promise, chose due – ***tant que vous*** *ne compromettez pas vos valeurs ni votre bien-être*. Si c'est le cas, soyez franc, dites la vérité. À tout prix !

Dire la vérité ne signifie pas se permettre de *tout* dire de n'importe quelle manière. Bien au contraire. Communiquer sans violence n'est pas sorcier. Il suffit d'y mettre du sien et de suivre certaines étapes. Entre autres, parler avec son cœur, sans cacher une intention qui puisse être mensongère ou manipulatrice.

L'intégrité ou l'honnêteté définit, en partie, une personne. Ce qui complète sa personnalité est ce qu'elle honore, ses valeurs, telles que la justice, la loyauté, le courage. Il ne s'agit pas d'être intègre quand cela nous convient. L'idée est de vivre en toute honnêteté avec ce que l'on est, en tout temps.

Voici le défi que je vous lance à la lecture de ce chapitre. Ce n'est pas toujours facile, j'en conviens tout à fait ! Mais la satisfaction et la force intérieure que l'on retire de l'honnêteté sont indéniablement plus grandes que l'inconfort initial.

Alerte à la démotivation

« Remettre à plus tard ce que l'on peut faire tout de suite. »

Je ne crois pas qu'il s'agisse de paresse, comme certains se plaisent à le dire. Même avec toute la bonne volonté du monde, un individu retournera souvent vers ses bonnes vieilles habitudes. Cela est dû au manque de clarté sur ce qui le motive, sur ce qui l'allume, le pousse à poursuivre un rêve.

Le manque de vision quant à nos propres passions provient souvent d'un refus d'accepter qui nous sommes *vraiment*, c'est-à-dire la somme de toutes nos caractéristiques, forces et faiblesses comprises.

Le premier pas vers une vie exempte de procrastination consiste à prendre conscience de cette tendance, avant d'accepter de passer à autre chose.

Il convient ensuite de définir des objectifs clairs et réalistes, par rapport à nos passions, pour pallier ainsi nos faiblesses en se concentrant sur nos forces.

La motivation appartient à ceux qui s'exaltent par de nouveaux défis, de nouvelles approches, leur permettant ainsi de voir les occasions qui se présentent.

Trois clés pour accroître votre motivation

1. Agir et renforcer votre conviction que c'est possible.
2. Vous servir de votre ingéniosité et de votre créativité.
3. Ne jamais vous contenter de moins que… (en laissant la routine, la médiocrité, la stagnation prendre place).

Le coauteur de *Bouillon de poulet pour l'âme*, Mark Victor Hansen, à mon avis un homme intelligent, écrit que le mot procrastination cache le mot castration. Je ne suis pas aussi certaine d'y déceler, comme M. Hansen, un tel mot, mais si l'idée d'être «castré» peut en faire agir certains, c'est ce qui compte !

Je vois un lien important entre les forces/talents naturels, les passions et la démotivation. Il est plus facile de ne pas accomplir un rêve faute d'enthousiasme ou de conviction, surtout si on ignore les bénéfices qu'on en retirera.

Si vous ne deviez retenir qu'une chose, que ce soit celle-ci: permettez-vous un seul doute. «**Pourquoi pas!**»

Si vous étiez en mesure de connaître les bénéfices d'agir immédiatement, de démystifier cette vilaine petite critique interne vous faisant douter de vos capacités, que feriez-vous?

Les passions, muses de l'être humain

Les passions, c'est passionnant! Débusquer ses passions se révèle bien difficile en certaines occasions. Pour y parvenir, l'une des pistes à explorer consiste à se replonger dans son enfance. Quels étaient vos jeux préférés?

Aujourd'hui, ces jeux peuvent devenir des passe-temps énergisants, surtout si vous vous mettez en état de créativité pure et simple, lorsque la terre arrête de tourner et que l'heure n'a plus d'emprise sur vous. Ce sentiment d'être dans votre bulle à faire un miracle, à créer une merveille et qui vous fait sourire ou siffloter peut devenir un premier pas dans le bon chemin.

La réponse aujourd'hui

J'avoue avoir eu beaucoup de difficulté à me reconnecter à mes passions d'enfance et d'adulte, mais aujourd'hui je vois plus clair en moi.

J'ai toujours été attirée par l'écriture (amusant, non ?). À l'école, je me souviens en avoir retiré de bonnes notes et des éloges qui ont stimulé mon imagination. Chez moi, l'intérêt pour l'art est fort. Ce qui m'a valu beaucoup de doute et de retenue, ma perception étant : *si ce n'est pas un chef-d'œuvre d'emblée, ça ne vaut même pas la peine d'essayer.* Le perfectionnisme à l'état pur ! Preuve de supériorité, pensez-vous ? Non. Je dirais tout bonnement : arrogance de croire qu'on maîtrise son art ou illusion qu'on exerce un art. Voilà la critique interne qui a gouverné mes pulsions artistiques durant 20 ans. C'est bien pour cela qu'aujourd'hui je n'accorde plus aucune attention à cette pensée. Je suis mon instinct, ce que me dictent mes tripes et mon cœur !

Ma passion pour l'architecture historique et les vitraux m'a conduite à décorer objets et fenêtres en créant de la peinture sur verre. J'éprouve une aussi grande satisfaction à faire ces objets qu'à confectionner de véritables vitraux. Ce travail sur verre me permet de réaliser des pièces plus petites que le vitrail traditionnel, sur des thèmes que j'affectionne particulièrement. Je ne me restreins plus. Je n'ai plus peur de ne pas créer un chef-d'œuvre. D'ailleurs, mon affection du vitrail se répercute même dans mon logo et dans le design de mon site Web. Et qui sait, je me mettrai peut-être à faire du vitrail digne de Tiffany à ma retraite. C'est là tout le plaisir d'envisager l'avenir sur un «pourquoi pas ! ».

Soyez exalté!

L'univers répond

> **Chaque murmure de l'inconscient est transmis
> à l'univers par un porte-voix.**

Comment voulez-vous que l'univers vous réponde? En vous faisant rencontrer obstacle après obstacle, en répondant à vos critiques internes, mettant ainsi votre intégrité (honnêteté) au défi? Ou alors, préférez-vous percevoir toutes les occasions qui se présentent, afin de vous permettre d'accéder à votre vie de rêves?

«Je suis sur terre pour briller.»
«Je possède des dons et des talents naturels.»
«Je peux réaliser et vivre mes rêves.»

EXEMPLE

Le talent à l'œuvre

Connaissez-vous les biscuits Monsieur Félix & Mr. Norton ? À la suite d'une passion pour les biscuits, le propriétaire de la célèbre entreprise a commencé à en vendre, et on connaît tous la suite de cette belle aventure (en tout cas, moi, je rêve parfois à ses biscuits aux noix et chocolat blanc). Je ne connais ni son nom ni les détails de son parcours, mais je suis persuadée que face à un moment de doute, il s'est permis cette réflexion : « Pourquoi pas ! »

La question du million

Pour moi, l'éveil concernant ma démotivation et mon manque de vision s'est produit une superbe journée de mai, au siècle passé, lors d'un repas sur une terrasse du centre-ville de Montréal, alors que je dînais en compagnie d'une bonne copine. La question qu'elle me posa entre deux bouchées me prit par surprise : « Que fais-tu si tu gagnes demain le million à la loterie ? », mais ma réponse fut encore plus étonnante.

Après plusieurs minutes à m'interroger en silence tout en mastiquant, j'ai été forcée de comprendre que je ne m'étais jamais permis d'y rêver, pour des raisons inconnues à l'époque, mais que je juge sans grande importance aujourd'hui.

Toutefois, cette discussion anodine a amorcé une réflexion profonde sur « ce que j'aime vraiment » dans la vie.

Je n'avais pas de réponse. RIEN! Encore moins la vision de ce que je pourrais bien faire avec un million, du jour au lendemain. Je n'avais jamais défini les bénéfices (avantages) d'être millionnaire. Par conséquent, je me contentais de refouler mes élans artistiques (créatifs) et le plaisir s'y rattachant. Je m'étais «castrée» de certains talents, jusqu'au jour où je me suis dit «pourquoi pas!».

Le constat

Il me manquait une vision claire de ce qui me «passionnait». C'est ce qui me poussait à remettre constamment et indéfiniment à plus tard une activité artistique ou tout ce qui pourrait me faire «plaisir». Mon manque de motivation rendait ma vie terne, sans respect pour ma créativité. Ne me permettant même pas de rêver, je me coupais de mon imagination et, par le fait même, m'éloignais d'un de mes *nombreux* talents.

L'analyse – L'intégrité au quotidien

Vous avez sûrement déjà subi les conséquences d'un manque d'honnêteté d'un membre de votre entourage. Il peut s'agir comme dans l'exemple ci-dessous d'un événement anodin, sans répercussion évidente, mais peut-être pas.

Cas vécu

Le profil

Thérèse est une femme au foyer âgée de 47 ans, mariée depuis plus de 23 ans. Elle a toujours été bonne pour tout le monde, d'ailleurs ses proches en témoignent régulièrement : «Elle agit tout le temps pour le bien des autres», «Elle est tellement *généreuse*».

Thérèse me consulte depuis quelque temps, mais je vous ferai grâce des raisons de sa démarche, puisque je veux plutôt mettre l'accent sur l'analyse d'un cas flagrant de manque d'intégrité, de la part des deux parties concernées.

Lors de nos rencontres hebdomadaires, l'état de cette femme était tel que je la sentais au bord des larmes et très peu encline à poursuivre la démarche pourtant déjà bien amorcée. Un jour, après quelques minutes à la sentir à cran, je lui ai demandé ce qui s'était produit pour la mettre dans un tel état. Elle me raconta alors ce qui suit.

Par un bel après-midi *très* froid de janvier, elle demanda à son mari s'il voulait bien changer l'ampoule devant la porte d'entrée, qui était brûlée. Le mari, pas toujours attentionné, lui dit évasivement : «Je vais le faire tout à l'heure», ne levant même pas les yeux de son journal. *Inconsciemment*, Thérèse a douté de sa promesse. Elle devait toutefois quitter la maison pour un rendez-vous, et ne revint que tard en soirée. À son grand étonnement, et surtout à sa grande déception, l'ampoule n'était toujours pas changée. Thérèse fulminait de ne pas trouver le trou de la serrure dans le noir.

> *Eh, qu'une bonne fille, ça ne chiale pas!*
> *Thérèse a bien appris et n'a rien dit.*

Elle était dans tous ses états, un sentiment de peine mêlé à la colère lui fit monter les larmes aux yeux. Faisant fi de ses premières pulsions à rouspéter, car Thérèse est une bonne femme, elle laissa tomber, trouvant de bonnes excuses à son cher mari, sans lui en toucher un seul mot.

Deux jours plus tard, un voisin sonna à la porte, et il n'y avait toujours pas de lumière éclairant l'entrée.

> *Si ta parole ne vaut pas deux minutes*
> *de ton temps, quelle sera la valeur*
> *de ta parole face à un engagement majeur?*

Le constat

En fait, si le mari de Thérèse avait été intègre envers lui-même, il aurait pris une position plus honnête et lui aurait dit la vérité. Il aurait tout bonnement répondu à son épouse que ce n'était pas le moment pour lui, qu'il n'avait pas envie d'interrompre ses activités, mais qu'il en ferait une priorité avant le retour de celle-ci à la maison.

Il aurait eu ainsi la maîtrise de son engagement et aurait tenu parole. Il aurait compris les répercussions de la parole donnée à autrui s'il ne tenait pas son engagement. (Thérèse et même le voisin auraient bien pu faire une chute dans le noir.)

Thérèse aussi aurait pu être honnête avec elle-même. Elle aurait immédiatement reformulé sa demande à son mari,

lui rappelant à quel point c'est important pour elle de se sentir en sécurité (valeur fondamentale). Elle n'aurait pas non plus toléré pareille humiliation (peine et colère) et lui aurait expliqué à son retour à quel point cela la blessait. Elle lui aurait dit que de se sentir «remise à plus tard» ne lui permettait pas d'être épanouie et de se sentir son égale dans leur couple. Elle lui aurait avoué à quel point il était vital pour elle de se sentir appuyée et soutenue par l'homme de sa vie.

Une autre valeur fondamentale (respect) de Thérèse a été bafouée, par le manque de sincérité de son conjoint quand il a promis et n'a pas respecté un engagement qu'il n'avait, de toute façon, aucune envie de tenir.

La communication «intègre» signifie se respecter soi-même mais également les autres.

En taisant chacun la vérité, Thérèse et son mari ont provoqué une scission dans leur respect mutuel.

> *Vivre avec intégrité n'est pas un concept à assimiler, mais une habitude à intégrer.*

Je peux vous dire...

Thérèse et son mari se sont assis et ont pris un engagement envers l'un et l'autre, celui de toujours se dire tout «honnêtement»!

Je les crois, et c'est tant mieux!

Exercices et outils

Exercice 1
Sur la piste de mes talents

- Après avoir répondu aux questions de la section *Comment reconnaître vos forces naturelles* à la page 47, faites le bilan de vos talents selon les critères que voici :

Talents naturels	Accomplissements personnels ou professionnels grâce à vos talents	Contribution sociale pouvant découler de l'exercice de vos talents

Exercice 2
Quelle est ma mission de vie?

• Remplissez le questionnaire.

1. Connaissez-vous ce en quoi vous êtes doué?

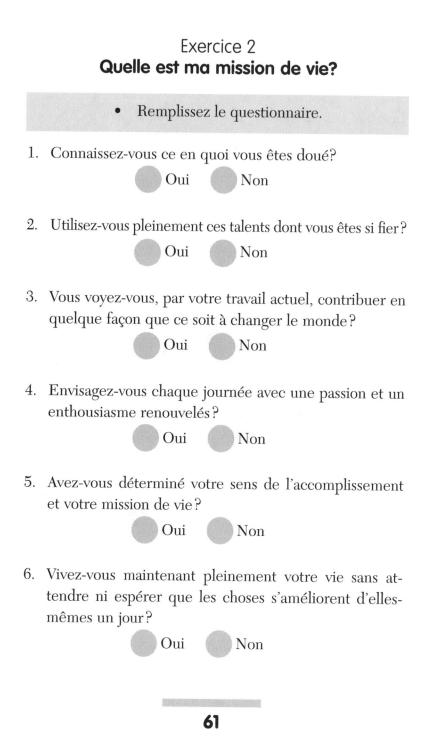 Oui Non

2. Utilisez-vous pleinement ces talents dont vous êtes si fier?

Oui Non

3. Vous voyez-vous, par votre travail actuel, contribuer en quelque façon que ce soit à changer le monde?

Oui Non

4. Envisagez-vous chaque journée avec une passion et un enthousiasme renouvelés?

Oui Non

5. Avez-vous déterminé votre sens de l'accomplissement et votre mission de vie?

Oui Non

6. Vivez-vous maintenant pleinement votre vie sans attendre ni espérer que les choses s'améliorent d'elles-mêmes un jour?

Oui Non

Questions à vous poser...

1. Qui suis-je?

(Décrivez votre personne, votre personnalité, vos qualités et votre caractère.)

_____

_____

_____

2. Qu'est-ce qui me rend irrésistible pour les autres?

(Qui sont les gens que vous attirez? Sont-ils des sources ou des draineurs d'énergie?)

_____

_____

_____

3. Suis-je comblé/heureux?

(Envisagez-vous chaque journée avec enthousiasme?)

_____

_____

_____

Exercice 3
J'honore mes engagements

Dans quels aspects de ma vie ai-je manqué d'intégrité?

Dans quels aspects de ma vie un manque d'intégrité persiste-t-il?

Suis-je apprécié de mon entourage?

Mon entourage me fait-il confiance?

Mon entourage me respecte-t-il?

Pourquoi suis-je venu au monde (dons, contributions à l'univers)?

Outils à intégrer au quotidien
Mission de vie

- En reprenant les réponses des pages 60 et 61, rédigez une ou deux phrases simples, généralisant tous les éléments de votre philosophie de vie qui vous font vibrer profondément.
  (Mon énoncé de mission de vie se trouve au tout début de ce guide, à la page 11.)

_____

_____

_____

_____

Philosophie de vie

- En découvrant, à la page 63, les aspects de votre vie qui nécessitent un renforcement de votre intégrité, prenez l'engagement immédiat de remédier à certaines de ces défaillances. Notez-les et nommez deux façons d'y remédier en accord avec vos valeurs.

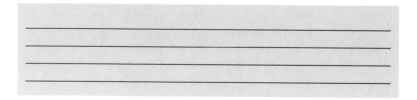

_____

_____

_____

_____

Notes

Chapitre 3

Les priorités

Analysez vos pertes de temps : « Plus on en perd, moins on est centré sur ce qui doit être fait. » La différence entre « réussir » ou « rater » sa vie se fait souvent sur le plan de la concentration. Un manque de focalisation peut tout faire basculer.

Nos petits gestes de tous les jours traduisent nos valeurs et notre philosophie de vie. Pour se réaliser pleinement, l'individu doit faire en sorte que ses gestes débouchent sur des actes concrets. Il est possible de rêver en grand, encore faut-il établir un plan d'actions quantifiables et qualifiables en accord avec ses valeurs fondamentales, et tirer profit de ses forces et de ses passions.

Je constate fréquemment chez les personnes qui me consultent pour obtenir de l'aide afin de « gérer leur temps » une certaine propension à perdre du temps dans des tâches, des fonctions pour lesquelles elles ne possèdent aucun talent ou dans lesquelles elles n'ont aucun intérêt.

Le quotidien se compose d'un pourcentage élevé de ce que j'appelle les «faut qu'on», les «je dois absolument», toutes ces satanées tâches de la liste des «*à faire*» qu'on déteste, qui prennent un temps fou à terminer et qui, souvent, ne donnent que peu ou pas de résultats satisfaisants.

Si c'est sans intérêt, ce n'est donc pas prioritaire. Mais que faites-vous de ce qui a de l'intérêt, de ce qui est prioritaire?

Pourquoi ne pas consacrer plus de temps à faire des tâches intéressantes, pour lesquelles vous avez du talent, donc qui vous apportent satisfaction et résultats?

Selon Stephen Covey, la gestion de temps commence par ce principe: «Fais ce qui est important, pas ce qui est urgent.» J'ajouterai que **«ce qui est urgent aujourd'hui fut, un jour, important et reporté à plus tard»**.

La stratégie

Imaginez un quotidien où vous ne feriez que ce qui vous passionne, ce dans quoi vous excellez et qui vous procure énergie, enthousiasme et profits.
C'est faisable!

Cercle d'équilibre
Quatre sphères de la vie

Dans la vie, on trouve des sphères, des aspects communs à chacun d'entre nous. En voici quatre que j'ai déterminés pour vous:

- les relations (amis et famille);
- l'environnement;
- la carrière et les finances (manque d'argent ou de travail, ou envie d'en avoir plus);
- le bien-être du corps, du cœur, de l'esprit (plaisirs, moments où l'on prend soin de soi, etc.).

De nos jours, on est constamment sollicité, jugé d'après sa performance, ce qui se traduit souvent par des burnouts, des dépressions, un manque de motivation, un taux d'absentéisme élevé, sans parler du degré d'endettement personnel en croissance constante. Il est donc important de pouvoir équilibrer nos différentes sphères de vie pour y puiser de l'énergie afin de poursuivre notre chemin.

L'un des exercices (*100 énergies*©, tiré et adapté du programme *Personal Foundation,* de Thomas Leonard, fondateur de Coach University) que je propose à mes clients permet de déterminer les éléments qui drainent l'énergie. Il est question ici de ces petits irritants quotidiens, anodins, qui grugent insidieusement l'énergie vitale.

Cet exercice vous permet de colmater vos fuites d'énergie à la source, de solidifier vos remparts, de renforcer à la fois votre intégrité face à vous-même et face aux autres, de vous imposer des limites personnelles, de cesser de tolérer que des éléments extérieurs nuisent à votre bien-être. Voici quelques exemples des irritants les plus communs.

Les relations

- J'ai un conflit non résolu avec un ami, un membre de la famille, un collègue…
- Je manque d'amitiés sincères dans ma vie.
- Je ressens un vide dans ma vie, je voudrais un partenaire de vie.
- Je vis une relation qui compromet mes valeurs.

L'environnement dans lequel on vit

- Ma maison n'est pas décorée de façon qui me représente et me satisfasse.
- Mes placards et mon sous-sol sont un vrai fouillis, je manque d'organisation et tout cela aurait besoin d'un grand ménage.
- Ma maison a besoin de certaines réparations pressantes.
- Je regarde trop la télévision, je navigue trop dans Internet…

Le bien-être du corps, du cœur, de l'esprit

- Je ne dors pas assez et je ne suis pas suffisamment reposé.
- Je désire faire plus d'exercice, mais je ne trouve jamais le temps ou la motivation.
- Ma santé me préoccupe, mais je n'ose pas régler ce problème.
- Je n'ai aucun champ d'intérêt intellectuellement stimulant.

La carrière et les finances

- Mon travail est extrêmement stressant et me laisse épuisé en fin de journée.
- Mon plan de travail est en constant désordre, c'est un fouillis où je ne me retrouve plus.
- Je sais que je dois déléguer certaines tâches, mais j'en suis incapable.
- Je règle mes factures en retard.
- Je n'ai pas de plan de retraite clair ni de testament à jour.

Si certaines de ces affirmations vous sont familières, il est à peu près certain que vous connaissez des fuites d'énergie. Votre degré d'énergie et votre vie montrent que vous ne les utilisez pas au maximum de leurs capacités. Vous employez peut-être 70 %, 50 % ou même moins de votre énergie vitale. Et celle-ci ne se régénère pas automatiquement. Vous puisez dans vos réserves vitales; un jour viendra où elles seront épuisées et laisseront la place aux problèmes de santé, à la démotivation, à des malaises physiques persistants. Vos nuits de sommeil seront trop courtes pour vous permettre de régénérer suffisamment votre énergie. Voyez-y! Votre santé est en jeu.

PETITE HISTOIRE À MÉDITER
(Source inconnue)

Un jour, un vieux professeur de l'École nationale d'administration publique (ENAP) fut engagé pour donner une formation sur la planification efficace du temps à un groupe d'une quinzaine de dirigeants de grosses entreprises nord-américaines.

Ce cours constituait l'un des cinq ateliers de la journée de formation. Le vieux prof n'avait donc qu'une heure pour donner sa matière. Debout devant ce groupe d'élite (qui était prêt à noter tout ce que l'expert allait enseigner), le vieux prof les regarda un par un, lentement, puis leur dit: «Nous allons tenter une expérience.»

De sous la table qui le séparait de ses élèves, le vieux prof sortit un énorme pot Mason de 4 litres qu'il posa en face de lui. Ensuite, il prit une douzaine de cailloux à peu près gros comme des balles de tennis et les plaça délicatement, un par un, dans le pot. Lorsque le pot fut rempli jusqu'au bord et qu'il fut impossible d'y mettre un caillou de plus, il leva lentement les yeux vers ses élèves et leur demanda: «Est-ce que ce pot est plein?» Tous répondirent que oui. Il attendit quelques secondes et interrogea encore: «Vraiment?» Puis, il sortit de sous la table un récipient rempli de gravier. Avec minutie, il versa ce gravier sur les gros cailloux puis remua légèrement le pot. Les graviers s'infiltrèrent entre les cailloux jusqu'au fond. Le vieux prof leva à nouveau les yeux vers son auditoire et demanda: «Est-ce que ce pot est plein?»

Cette fois, ses brillants élèves commençaient à comprendre son manège. L'un d'eux répondit: «Probablement pas.» «Bien!» lança le vieux prof. Il se pencha de nouveau et, cette fois, sortit de sous la table un seau de sable. Avec attention, il versa le sable dans le pot. Le sable alla remplir les espaces libres entre les cailloux et le gravier. Encore une fois, il demanda: «Est-ce que ce pot est plein?»

Cette fois, sans hésiter et en chœur, les brillants élèves répondirent: «Non!» «Très bien!», confirma le prof. Et comme s'y attendaient ses prestigieux élèves, il prit un pichet d'eau qui se trouvait sur la table et remplit le pot à ras bord. Le vieux prof leva alors les yeux vers son groupe et demanda: «Quelle grande vérité nous démontre cette expérience?»

Pas fou, le plus audacieux des élèves songea au sujet du cours et répondit: «Cela prouve que même lorsqu'on croit que les pages de notre agenda sont bien remplies, on peut, si on le veut vraiment, y

inclure plus de rendez-vous, plus de choses à faire. »
« Non ! s'exclama le vieux prof, ce n'est pas cela… »
Et vous, avez-vous deviné la morale de cette histoire ? Je vous laisse y réfléchir et vous en donnerai la conclusion au paragraphe *La grande vérité*, un peu plus loin.

Comment investissez ou perdez-vous votre temps?

Avez-vous une idée du nombre de minutes par jour, d'heures par mois, de jours par an que vous subissez en interruptions et en distractions de toutes sortes ? Pourquoi donc ne pas concentrer vos énergies sur ce que vous faites de mieux !

> *La procrastination est la conséquence d'un manque de jugement.*

Le principe des trois priorités par jour

Chez certains, la procrastination se traduit par un nombre effarant d'articles sur la liste des « à faire ». Si vous avez 15 tâches à faire, à finir, à commencer, à acheminer, à

acquérir, à éliminer, à déposer, etc. par jour, vous êtes tout à fait la personne qui veut tout entreprendre, ne rien concrétiser, tout remettre en question et laisser en plan.

Dans l'agenda que j'ai conçu, j'ai prévu une partie justement pour noter vos réalisations, vos priorités, vos appréciations au jour le jour (voir à la fin du présent ouvrage).

Si vous pouviez vous restreindre à trois priorités par jour, que se passerait-il?

Les priorités sont déterminées d'après l'importance, la pertinence et la profitabilité qui en découlent. Vous devez déterminer trois priorités qui vous apportent des résultats, de l'argent et du plaisir. Si vous gagnez 100 $/h, pourquoi réalisez certaines tâches à 15 $?

1-2-3 Gestion du temps

Apprendre à dire NON
Pour certains, cela veut dire fortifier le muscle du non, déjà atrophié, notamment chez les femmes qui sont doublement handicapées avec des enfants à s'occuper et les multiples fonctions composant leur réalité d'aujourd'hui.

Planifier adéquatement
Le but est de bien estimer le temps nécessaire pour terminer la tâche et de ne pas remettre sa conclusion à plus tard. Il convient de s'accorder une zone tampon de manière à parer aux imprévus. Bref, il faut se composer un emploi du temps ou un système de gestion du temps répondant à son style de vie.

Se débarrasser

Combien de fois n'a-t-on pas entendu qu'il vaut mieux déléguer une tâche aux gens qui ont le talent pour l'accomplir aisément (surtout si elle draine votre énergie) que de s'épuiser à tenter de la faire? Vous n'avez nul besoin de tout faire par vous-même! (Surtout pas les sempiternelles réunions qui n'en finissent plus et qui ne servent pas à grand-chose.)

Attaquer

Faites les choses maintenant! Arrêtez de prévoir du temps dans votre agenda, dans votre liste «à faire», pour des choses ne requérant que quelques secondes de votre temps – par exemple, ranger un papier au lieu de le déposer sur la tablette «à faire plus tard», remettre un document dans son dossier d'origine plutôt que de le laisser traîner, agrafer la confirmation d'un paiement sur le bordereau d'envoi ou la facture, plutôt que de tout laisser en tas et de devoir tout trier plus tard pendant des heures.

Des remparts contre les pertes de temps

Je vous recommande de regrouper les tâches similaires pour les effectuer l'une à la suite de l'autre. L'idéal est de travailler par blocs d'activité. Prévoyez, selon vos habitudes déjà établies ou celles qui vous satisfont, les moments propices au blabla téléphonique, aux remue-méninges, aux «partis sur la route», aux «réunions forcées», selon vos

périodes de productivité. Si vous êtes matinal, donc particulièrement efficace à travailler le matin, prévoyez un bloc de travail suffisamment long en matinée afin de terminer vos tâches sans être interrompu.

Il n'y a pas qu'au bureau qu'on investit ou qu'on perd son temps. Toutes les activités récurrentes, même de «récurants» domestiques, peuvent être mieux gérées. Si vous en aviez les moyens, sans limites, quelles tâches domestiques conserveriez-vous pour vous, et quelles délègueriez-vous?

Pensez-y, ne méritez-vous pas d'être libre le week-end, le soir? Pourquoi ajouter à vos fonctions professionnelles des tâches domestiques qui pourraient aisément être déléguées? Comment utiliseriez-vous ce temps libre pour vous, juste pour vous, sans culpabiliser?

Vous ne savez pas? Un conseil: retournez consulter la liste de vos passions, à la page 60.

La grande vérité

Nous voici arrivés au moment où je vais vous dévoiler la réponse à la question posée précédemment par notre vieux professeur de l'ENAP.

«SI ON NE MET PAS LES GROS CAILLOUX DANS LE POT EN PREMIER, ON NE POURRA JAMAIS LES FAIRE ENTRER TOUS PAR LA SUITE.»

Vous vous souvenez que le prof s'était exclamé: «Non! ce n'est pas cela…» Il y eut alors un profond silence dans la salle, et chacun prit conscience de l'évidence de ses propos.

Et vous: «Quels sont les gros cailloux de votre vie? Préserver votre santé, côtoyer votre famille et vos amis, réaliser vos rêves, faire ce que vous aimez, apprendre?»

Que retenir de cette histoire? Bien sûr, l'importance de placer ses gros cailloux en premier dans sa vie, sinon on risque de ne pas la réussir. Si on donne priorité aux peccadilles (le gravier, le sable), on en remplira sa vie et on n'aura plus suffisamment de notre précieux temps à consacrer aux éléments importants.

Exceptionnellement, je ne fais pas ici l'analyse d'un cas fictif, mais je partage avec vous l'une de mes expériences personnelles, qui a contribué à modeler ma vie actuelle.

CAS VÉCU

Redéfinir mes priorités!

Le profil

Il y a plusieurs années, je travaillais à l'extérieur. Comme tout le monde, je faisais des heures de fou. Nous partions, mon conjoint et moi, le matin vers 6 h 30, nous laissions nos deux enfants chez la gardienne pour ne revenir les prendre qu'à 18 h 30. Mais plus souvent qu'autrement, le retour ne se faisait pas avant 19 h.

Un soir de novembre, alors que nous rentrions à la maison, j'ai compris que mes filles avaient très peur de traverser la rue la nuit tombée. En les questionnant, j'ai appris qu'elles avaient failli se faire écraser par une voiture en traversant la rue pour se rendre de l'école chez la gardienne. Cette réponse me bouleversa. Mais le plus bouleversant fut pour moi d'apprendre que l'incident avait eu lieu plusieurs jours auparavant.

En arrivant à la maison, j'ai demandé à mon aînée, qui avait huit ans, pourquoi elle ne nous en avait pas parlé le jour même. Elle me répondit: «On ne pensait pas que c'était très important, vous êtes toujours trop occupés.»

Le bilan (sommaire) de mes priorités: famille!

Dès le lendemain, j'ai fait part à mon supérieur de ma décision de réduire mes heures de travail afin d'être de retour à la maison avant 17 h. Tout à coup, mes choix étaient clairs, sans aucune ambiguïté! Je n'avais même plus la crainte qu'il refuse, ou pire, qu'il me congédie sur-le-champ!

J'avais compris que lorsqu'on gère sa vie sans que tous les éléments soient en accord avec ses valeurs, ses priorités, il arrive toujours un élément déclencheur pour faire prendre conscience de ce qui ne va pas.

Comme il y avait déjà quelque temps que je me remettais en question, que je n'avais plus de défis à relever dans mon emploi, je me suis rendu compte que je devais réorienter ma carrière vers un domaine qui comblerait mes aspirations les plus profondes. Malgré mes craintes, je savais que si j'y croyais autant que mes tripes pouvaient le ressentir, je trouverais la bonne voie pour moi.

Quelques mois plus tard, un deuxième élément est venu déclencher en moi une nouvelle réflexion. J'ai perdu cet emploi pour lequel je sacrifiais beaucoup moins de temps. J'ai compris que c'était un signe m'indiquant que ce qui m'accaparait l'esprit depuis la mésaventure de mes filles devait maintenant prendre forme. Trop lâche pour faire le premier pas moi-même, la Vie est venue me donner un petit coup de pouce! Quand je dis «lâche», c'est avec le regard que je porte sur les choses aujourd'hui, avec le recul. À l'époque, pour qualifier mes décisions, j'usais plutôt de termes comme «responsable, réaliste, adulte», dans le but évident de justifier le fait que je ne *pouvais* pas quitter cet emploi.

Comme la vie répond toujours à nos demandes, c'est à ce moment-là que j'ai entendu parler du coaching.

L'application du coaching

Par une démarche de changement, commença ma quête de réconciliation avec moi-même. Une fois la prise de conscience faite, j'ai appris ce qu'étaient mes talents. Je voulais remplir mon quotidien de ce qui ME procurait énergie et enthousiasme, afin d'en faire une carrière exaltante et profitable. De là, l'acceptation et l'intégration de l'idée furent plus aisées.

J'ai appris à harmoniser vie familiale et professionnelle, sans oublier de ramener du plaisir dans mon quotidien, en gardant bien vivantes les passions qui animent ma vie.

Le constat

En clarifiant ma vision de ma vie personnelle tout autant que professionnelle, j'ai pu atteindre plus rapidement des buts clairs. J'ai éprouvé de l'empathie envers moi-même, en prenant soin de moi, en développant une habileté à m'écouter et à dédramatiser certaines de mes préoccupations quotidiennes. Tout cela m'a fait voir les autres possibilités qui s'offraient à moi et ainsi prendre confiance en moi.

J'ai découvert de nombreuses vérités sur ma personne ; cela m'a permis de savoir pourquoi je suis ici et surtout de comprendre que je mérite mon bonheur.

Il faut croire en nous, arrêter l'autocritique. La culpabilité de ne pas être tout à fait parfait *(encore)*, de ne pas avoir suffisamment maîtrisé nos aptitudes pour gérer notre temps efficacement, de vouloir que tout tombe à point n'a plus de raison d'être.

Il faut surtout arrêter la course vers la réussite *à n'importe quel prix*, car en plus d'être essoufflante, elle tue de plus en plus de gens.

Je peux vous dire...

Notre vie a changé. Travailler à domicile me permet de modeler mes horaires afin d'être présente physiquement et émotivement pour les miens. Mes deux préados ont récupéré leurs parents, et nos relations sont beaucoup plus sereines. L'atmosphère dans la maison est très différente. Nous prenons le temps d'arrêter, de nous chouchouter mutuellement, de nous bécoter, de rire et, oui, de déconner. Plutôt que de courir du lundi au vendredi et de dire le samedi : «Ouf! on peut enfin souffler», nous vivons plus intensément le moment présent, malgré que chacun ait une vie active et remplie…

Je crois au destin, car je sais qu'il fait toujours bien les choses. Mais pour cela, il faut faire les premiers pas, lâcher prise! Et vous, y croyez-vous?

> *Je remercie chaque jour l'univers que la leçon n'ait pas eu une incidence plus «irréversible» sur nos vies.*

Exercices et outils

Exercice 1
Comment je perds mon temps?

- Dans cette section, faites le calcul global des minutes ou des heures par jour des *pauses* dues:

Aux interruptions diverses

_____
_____
_____

Aux appels inopportuns

_____
_____
_____

Aux ajouts de tâches urgentes et qui ne peuvent attendre

_____
_____
_____

Au manque de personnel bien formé

_____
_____
_____

Exercice 2
Blocs d'activité

- Précédemment, je vous ai recommandé de regrouper les tâches similaires. Prévoyez du temps, selon vos habitudes établies ou celles qui vous satisfont, pour :

Activités	Nombre d'heures par jour	Période propice
• Blabla téléphonique		
• Remue-méninges		
• «Partis sur la route»		
• «Réunions forcées»		
• À faire		
• Autres		

Exercice 3
Où passe donc mon temps?

Votre semaine type		**168 h**	
Activités	Heures désirées	Total semaine	Jour de la semaine
Sommeil (en général 8 heures/jour)			
Routine quotidienne			
• Tâches ménagères			
• Repas			
• Courses			
• Payer les factures, budget, etc.			
Travail / carrière			
• Préparation du matin			
• Transport (aller-retour)			
• Temps à travailler			
• Temps à penser, à s'inquiéter des problèmes du bureau			
• Manque de motivation, absentéisme			
• Se sentir épuisée, déprimée			
• Voyages d'affaires			
Cours / formation			
• Heures de cours			
• Travaux pratiques			
Activités communautaires			
• Bénévolat			
• Sociales / religieuses / spirituelles			
Relations			
• En famille (devoirs, chauffeur, activités de plaisir)			
• En couple			
• Entre amis			
• Seule			
Activités physiques / bien-être / loisirs			
• Regarder la TV			
• Vos passions			
• Vos plaisirs			
• Relaxer			
Autres			

TOTAL D'HEURES RESTANTES

Outils à intégrer au quotidien
Cercle d'équilibre

- Selon les résultats obtenus à l'exercice précédent, dessinez votre cercle d'équilibre, d'après le nombre d'heures consacrées à chaque activité.

- Les relations (amis et famille)
- L'environnement
- La carrière et les finances
- Le bien-être du corps, du cœur, de l'esprit
- Un aspect de votre vie est-il négligé?
- Quel aspect de votre vie prédomine?

- Refaites le dessin selon l'équilibre idéal souhaité, pour vous.

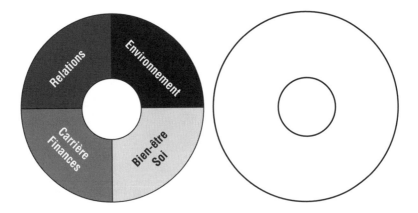

Priorités absolues

- Nommer cinq priorités absolues (vos gros cailloux) dans votre vie. L'idée est de dresser la liste des éléments primordiaux pour vous, pour votre bien-être, pour votre santé, pour votre environnement.
- Transcrivez vos priorités absolues sur une fiche que vous mettrez bien en vue près de votre téléphone au bureau, dans votre agenda ou sur le miroir de votre chambre – partout où il vous sera possible de la voir régulièrement. Ce faisant, vous serez en mesure d'agir en accord avec vos valeurs ainsi que vos priorités.
- Prendre une décision appropriée à votre réalité se fera plus facilement.

Variante

- Transcrivez une priorité absolue sur une fiche.

Une priorité par jour

- Chaque jour, je me donne la priorité, en m'accordant 15 minutes de lecture, de méditation ou tout simplement un bon bain chaud, sans interruption extérieure.

_____
_____
_____

Une priorité par semaine

- Chaque semaine, je me donne la priorité, en m'accordant une heure pour recevoir un massage, des soins de pédicure et de manucure, bref ce qui me valorise et me permet de favoriser mon mieux-être.

_____
_____

Une priorité par mois

- Chaque mois, je me donne la priorité, en m'allouant une journée complète à l'une de mes passions, un moment spécial avec mon conjoint, un après-midi de golf, etc.

_____
_____
_____

Une priorité par semestre

- Tous les six mois, je me donne la priorité, en m'offrant une fin de semaine avec mes copines, une période propice à la création par l'artisanat ou autre, etc.

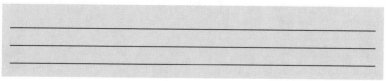

Une priorité par année

- Chaque année, je me donne la priorité, en me permettant de me couper complètement de la réalité quotidienne et de voyager sans culpabiliser, etc.

Liste des tâches à déléguer

- Établissez la liste de toutes ces petites choses dans la maison à faire réparer, à arranger, à embellir, à éliminer, qui sont des sources de pertes de temps dans votre quotidien. Vous serez surpris de voir combien il y en a et surtout combien cela gruge de votre temps. En plus, vous découvrirez que la plupart sont faciles à donner à forfait à des entreprises de votre localité, et ce, à peu de frais.

Tâches à déléguer	À qui la chance?

Notes

Notes

Chapitre 4

Les habitudes de vie

Vous avez maintenant en main quelques moyens de vous débarrasser de tâches ennuyeuses; vos rêves oubliés ou repoussés sont redevenus possibles; vous avez déterminé vos talents/forces naturelles – ce que vous faites avec brio; vous connaissez vos valeurs fondamentales, cela vous a permis de déterminer où vous avez besoin de renforcer votre personnalité; vos priorités sont clarifiées, vous ne tolérez plus les irritants externes qui vous éloignent de votre vraie vie; vous ne courez plus après votre temps, vous en faites votre allié.

Il ne reste plus qu'à intégrer tout cela dans de nouvelles habitudes de vie saines et apportant bien-être et prospérité.

Nous en sommes à l'avant-dernière étape, celle où vous pourrez:

- transformer les habitudes de vie compromettant votre bien-être (dans ce chapitre);
- déterminer et mettre en place des objectifs de vie (chapitre 5).

> *Ce que vous faites aujourd'hui détermine*
> *ce que sera votre vie dans trois ans.*

Les habitudes actuelles déterminent l'avenir. Les mauvaises comme les meilleures ne sont, en fait, que des choix intégrés au quotidien. Ces choix rendent la vie plus facile ou la compliquent.

Au chapitre 3, vous avez pu reconnaître certaines sources mineures et constantes de stress (qui drainent l'énergie), on parle ici de ces éléments que vous tolérez régulièrement et qui font en sorte que votre vie n'est pas celle que vous souhaitez.

Le stress

Le corps humain est muni d'un système de défense naturel qui a pour unique mission de «protéger de tout danger» en sonnant l'alarme, par la peur parfois. Le corps est mis en état d'urgence et relâche de l'adrénaline. Il ralentit également le fonctionnement de certains organes, comme le système digestif. Même si cette peur n'a pas lieu d'être, car il n'y a pas de réel danger dans l'immédiat, le corps n'en sait rien et le processus demeure le même.

EXEMPLE

Vous prenez votre voiture chaque jour pour vous rendre au travail. Vous traversez le même pont depuis des années. Un beau matin, vous sentez une angoisse vous prendre à la gorge quelques secondes avant de franchir le pont en pensant: «Si je dérape, si je tombe à l'eau, j'en meurs!»

Vous avez, en cet instant précis, provoqué un signal d'alarme devant le danger, pour un événement qui ne s'est même pas manifesté. Par cette seule pensée, vous passez en mode «panique». Vous vous projetez dans l'avenir, vous n'êtes donc plus attentif au présent et aux causes possibles de danger.

L'habitude de «tout prévoir d'avance» est handicapante. La peur (stress, hausse d'adrénaline) qui en résulte ne vous permet pas de faire face à la réalité et fausse ainsi votre jugement.

Vous ne vivez pas dans le présent – vous êtes en constante projection dans un avenir inexistant – vivant bien souvent en mode «panique» ou en mode «attente».

La stratégie

Prendre conscience des habitudes

Tenez particulièrement compte de ces mauvaises habitudes qui font de vous une personne moins rigoureuse sur le plan de ses valeurs: toujours tout remettre à plus tard, arriver en retard de façon chronique, ne pas tenir vos promesses, payer vos factures en retard, ne pas retourner vos appels, utiliser abusivement le *snooze* du réveille-matin, ne pas épargner régulièrement, ne pas faire d'exercice, ne pas prendre soin de votre alimentation et de votre corps, fumer la cigarette ou autres, etc. Bref, déterminez quelles sont vos habitudes.

Ces habitudes résultent de choix conscients et inconscients. Vous pouvez faire *ou ne pas* faire obstruction à vos objectifs de bien-être ; mais ces objectifs sont-ils clairement définis ?

Le cerveau est capable de beaucoup. C'est une machine surprenante lorsqu'on lui donne l'occasion de fonctionner à plein régime.

Prendre conscience de toutes ses habitudes, c'est dire «stop !» et se demander si chacune est digne d'être conservée ou si elle doit être transformée.

Conserver les bonnes habitudes

Pour conserver vos bonnes habitudes, nul besoin de réinventer la roue ! Il est très important de prendre conscience des habitudes qui vous satisfont pleinement, vous et votre entourage. Vous avez des «bons coups» à votre actif, c'est sur ce modèle que vous bâtirez la transformation des moins bonnes habitudes.

Bénéfices

Trouver les bénéfices à retirer d'une situation est facile et constitue un bon point de départ. Lorsqu'une habitude est saine pour soi, on en retire du bien-être et, par conséquent, les bienfaits sont suffisants pour se motiver à poursuivre dans ce sens et pour ancrer cette habitude (créer une routine) dans son quotidien.

Méthode en quatre temps

Méthode

1. Discerner l'habitude.
2. Décrire ce qui ne fonctionne pas.
3. Dresser la liste des bénéfices.
4. Évaluer les conséquences de perpétuer l'inaction.

- La première étape est de faire la liste de ce que vous voulez changer.
- Ensuite, il faut percer à jour les raisons pour lesquelles chaque habitude est mauvaise pour vous, donc établir ce qui ne vous convient pas.
- Puis, il convient de déterminer les résultats souhaités et de clairement cerner les bénéfices qui en découleront, une fois l'habitude transformée.
- La dernière étape est de bien reconnaître les conséquences actuelles de telle ou telle habitude et ce que cela en coûtera de la conserver.

Transformer les mauvaises habitudes

Tout le monde connaît le problème des résolutions de début d'année, il n'en reste chaque fois qu'une liste de vœux pieux, pourtant réalisables.

Vous vous dites alors que, «avec un tout petit peu plus de discipline»… La discipline n'a rien à voir là-dedans, il s'agit simplement de faire en sorte que ce qu'on désire soit plus facile à obtenir (bénéfices) et de veiller à éliminer l'inaction ou le manque d'action (conséquences).

L'URNE ET LA VIE

Pour faire une image, disons que prendre ses habitudes en main, c'est comme se saisir d'une urne. Une urne doit posséder deux anses pour être équilibrée. Une vie remplie et stable nécessite aussi deux «-enses»: une conséqu*ence* et une récomp*ense*!

Conséquences

Lorsque les conséquences (ne pas agir) deviennent trop grandes, il devient plus envisageable d'effectuer un changement pour obtenir les bénéfices.

**Demandez-vous ce que vous a coûté telle
ou telle habitude jusqu'à présent,
et ce qu'il vous en coûtera pour la maintenir.**

Les excuses pour, soi-disant, protéger les autres, ne pas blesser, les «si je change ma façon de faire, je peux faire du tort à untel» ne sont pas valables. En réalité, vivre en intégrité avec vos valeurs et vos principes vous permettra de dire ce qui vous contrarie de manière non violente.

Votre entourage et l'environnement dans lequel vous évoluez ont aussi un effet important sur la réalisation de vos objectifs. S'entourer de gens positifs, hautement productifs et forts sur le plan spirituel vous ouvrira les yeux sur un ou des aspects de votre personnalité qui pourront s'épanouir. De nouvelles occasions de vous réaliser se présenteront.

Ancrer les nouvelles habitudes

Toute activité liée au bien-être personnel devient un rituel sacré.

Quoi?
(Choisir l'habitude à ancrer.)

Pourquoi?
(Déterminer les bénéfices – récompenses.)

Comment?
(Nommer l'intention – la détailler pour passer à l'action.)

Ça nécessite?
(Déterminer les demandes, les enjeux, les changements que ce nouvel ancrage occasionne du côté de votre entourage.)

Appliquons la méthode d'ancrage à l'un des exemples de mauvaises habitudes cités au début du chapitre.

Quoi?

Faire de l'exercice régulièrement.

Pourquoi?

Pour retrouver un poids santé. Pour éliminer les problèmes mineurs de santé. Pour en faire un moment sacré afin de renouer avec mon conjoint. Pour péter le feu! Pour ne plus me sentir exténué, etc.

Comment?

Fréquenter le gym trois fois par semaine (lundi, mercredi et vendredi, de 7 h à 8 h). Le jeudi en soirée (de 20 h à 21 h), faire une marche active avec mon conjoint. La fin de semaine (dimanche) au chalet, faire du sport ou des activités saisonnières avec les enfants.

Ça nécessite?

De changer mon horaire pour me libérer le matin, de réserver la gardienne les jeudis soir. De procurer aux enfants un équipement de ski mieux adapté, etc.

Habitude synonyme d'organisation

Prendre des habitudes simples permet d'obtenir des résultats plus que satisfaisants. Une méthode s'installe (eh oui! la routine, c'est nécessaire). La routine ne signifie pas un carcan rigide et ennuyeux. La routine permet de fonctionner avec méthode, d'acquérir une compétence et de bâtir

sa crédibilité. Elle est particulièrement importante lors d'un suivi de projet.

Si vous avez l'habitude de *toujours* (et là le mot «toujours» est immuable) exécuter une tâche dans un ordre précis, le jour où un problème se produira et fera l'objet d'un contrôle particulièrement serré, vous n'aurez aucune difficulté à retracer chaque étape du processus. Votre attitude sera celle de quelqu'un maîtrisant la situation, de parfaitement à l'aise et de tout à fait organisé! Votre crédibilité en sera instantanément assurée.

Si toutefois vous avez l'*attitude* de toujours remettre à plus tard, et le plus loin possible, trouvant mille et un prétextes de ne pas vous mettre à la tâche, eh bien! le jour J, quand vous serez soumis à un contrôle serré, c'est mille et une excuses que vous aurez à trouver! (Improvisation: pour experts seulement; amateurs s'abstenir!)

Carburer à l'adrénaline

Les personnes toujours «actives», qui n'emploient pas de méthode précise, donc sans trop d'habitudes pour améliorer leur efficacité, n'ont d'autres recours que de compter sur la poussée d'adrénaline fournie par un état de stress pour les mettre en action. Cela leur permet, bien sûr, d'abattre des montagnes de travail en un temps record, mais la contrepartie est difficile.

La surexcitation provoquée par la caféine, un délai de production irréaliste (irréalisable), la pression externe et la culpabilité de n'avoir plus de temps permettent à ces «superactifs» de carburer à l'adrénaline pure. Leur indice de résultats est élevé, mais leur moteur central s'encrasse plus rapidement.

Le saviez-vous? Les effets de l'adrénaline, à long terme, sont toxiques pour le système nerveux et le cœur. Il est, de plus, difficile de s'en défaire, car le sentiment d'efficacité est faussement fondé sur des résultats obtenus par cet état de surexcitation.

«Je fonctionne toujours mieux sous pression», «Je trouve l'inspiration nécessaire seulement dans les derniers moments avant l'échéance», ces phrases vous sont familières, j'en suis sûre. Elles fournissent une indication sérieuse: l'adrénaline est le carburant principal de celui qui fait ces affirmations.

La relaxation – cet état d'inertie, de «vide» de l'esprit et d'immobilité du corps – provoque souvent la panique chez une majorité de «superactifs». Il n'en demeure pas moins que le moyen d'apprivoiser son présent et de ralentir le rythme est de se défaire du stress… par la relaxation.

Instaurer l'habitude de se relaxer

La santé est le résultat d'un bien-être équilibré du corps, du cœur et de l'esprit.

> *Petites transformations constantes*
> *égalent grande relaxation.*

Contrecarrer les effets du stress

Vivre harmonieusement signifie transformer son quotidien par des comportements de vie sains, bienfaisants pour le corps, le cœur et l'esprit.

Le corps

Le corps doit être libéré de ses tensions. L'activité physique reste le seul moyen de se débarrasser des toxines émises par le stress, par un surplus d'adrénaline.

Les spécialistes le disent bien. L'activité physique, que ce soit la marche ou des sports divers, est primordiale pour la santé. Les activités cardiovasculaires permettent d'expulser les frustrations et de nettoyer le système. Les activités qui sollicitent moins le système cardiovasculaire tonifient le corps, le sculptent et le gardent alerte, souple et élancé.

Diverses techniques, entre autres la technique Alexander, vous permettront de vous libérer des tensions et des douleurs physiques. Le yoga et les arts martiaux de tous genres sont nettement recommandés. Consultez un spécialiste pour déterminer ce qui vous conviendra le mieux.

Le cœur

Le cœur doit être léger et heureux. Pour ce faire, éliminez les irritants, les sources d'éléments draineurs d'énergie. N'oubliez jamais de vous allouer du temps pour des loisirs, des moments de plaisir.

Vous pouvez tenir un journal personnel ou un registre de remerciements envers ceux qui vous sont chers. Vous adonner le plus possible à vos passions est un excellent moyen de vous relaxer et d'être heureux, épanoui.

L'esprit

L'esprit doit être clair, à l'écoute de ce qui l'entoure. La méditation, le repos, la visualisation peuvent faire partie de l'équation pour libérer l'esprit. Donner un coup d'arrêt au tourment interne, vous abandonner à «l'inertie» du moment permettent de régénérer l'esprit.

Maximiser les périodes de relaxation

Sur le plan visuel

- Vous éveiller à la nature environnante, vous entourer d'images, de couleurs invitant au bien-être sont quelques moyens à mettre de l'avant.
- Choisissez un écran de veille pour votre ordinateur qui soit spécialement conçu pour inspirer le calme, soit par un montage de photos personnelles, par des images qui vous plaisent, par des paysages que vous aimez.

Sur le plan auditif

- Réduire la pollution sonore, les bruits environnants dans votre maison ou dans votre bureau, peut passer par de la musique incitant au calme, jouée en sourdine. Il n'est pas nécessaire que la musique d'ambiance soit zen, les Beach Boys peuvent très bien avoir le même effet sur vous.

Du côté des autres sens...

- L'odorat sera stimulé par des parfums, des bougies odorantes, de l'encens – tous d'excellents moyens de prendre contact avec soi.
- Les fibres naturelles offrent une autre façon de prendre soin de soi, en privilégiant des textures douces et réconfortantes comme le lin, le coton, le velours.
- Les massages, qu'ils soient de détente ou thérapeutiques sont réputés pour le réconfort et le soulagement qu'ils procurent.
- La maîtrise de la respiration : apprendre à respirer de la bonne façon, sans se bloquer, apporte des bienfaits reconnus.
- Le rire : eh oui ! c'est un moyen hilarant de refaire le plein.

La critique interne

Les croyances personnelles (la critique interne) provoquent une baisse de l'estime de soi. Elles sont l'un des éléments qui bâtissent l'avenir au rythme des habitudes du quotidien. Un changement, aussi minime soit-il, dans ses croyances personnelles produira d'incroyables modifications de perception et de comportement.

Discours de génération en génération

Une barrière inconsciente est constituée de ce que l'on croit, parce qu'on l'a entendu, parce qu'on l'a reçu en enseignement ou parce que des peurs nous ont été transmises. Une barrière inconsciente limite son potentiel.

Rester vrai à soi-même

Vous avez fait beaucoup de chemin en quatre chapitres, ne perdez pas le sens de votre mission. Vos mauvaises habitudes ne déterminent en rien votre valeur humaine.

Prendre conscience de certains comportements suffit à les changer

Vous avez cerné vos valeurs fondamentales, déterminé vos priorités (gros cailloux), ce qui est primordial pour vous, en accord avec vos talents innés, alors maintenant transformez-vous et modifiez aussi votre environnement afin de trouver l'équilibre et de réaliser vos rêves!

Maintenir une attitude optimiste

Avoir une attitude optimiste est un travail de chaque instant, une promesse continuelle faite à soi, pour la vie. Sans tout changer chaque fois, il faut régulièrement procéder à des ajustements pour garder le cap – votre cap.

Le quotidien reprend sa place rapidement, il faut rester centré, vigilant et maintenir votre attitude positive. Les faux-pas, les remises en question viendront, les envies de revenir aux anciennes façons de faire également. Lorsque vous sortez de votre zone de confort, c'est là que s'effectue le gros du travail de transformation. Ce moment d'inconfort est la preuve que vous transformez votre vie et vous-même.

Soyez reconnaissant à la vie et sachez que ces quelques instants de doutes sont la preuve que vous êtes sur la bonne voie. Tenez bon!

C'est à cette étape que vous serez heureux d'avoir du soutien; votre coach peut être la clé de votre réussite.

Entourez-vous de gens dignes de confiance, à qui vous aurez fait part de votre processus de transformation. Pourquoi ne pas vous créer un petit groupe d'amis, de membres de la famille, qui vous soutiendront tout au long de votre cheminement?

Cas vécu

Garder son rythme, c'est la clé!
Analyse d'un cas fictif à partir de situations réelles.

**C'est très stimulant travailler avec Pierre,
car il est très éveillé et intéressant,
tant sur le plan spirituel qu'intellectuel.**

Le profil

Pierre est un client très spécial. Il est le portrait même de l'homme *high achiever*, fin de la trentaine, célibataire, sans enfant. Il mène une vie active et réussit très bien dans le monde des affaires, avec une entreprise de services en pleine croissance. Son horaire est tout autant rempli d'activités professionnelles que personnelles. Fortement motivé par les nouveaux défis et les expériences fortes, les sports extrêmes, il est passionné par la vie.

La raison de la consultation

Son souci premier était de mettre au point une méthode de travail lui permettant de ne plus perdre de temps mais de gagner plus d'argent, tout en lui offrant plus de disponibilité pour pouvoir jouir de ses loisirs.

L'application du coaching

L'une des toutes premières choses qu'il a fallu modifier a été sa perception des motivations profondes de ses habitudes. «Briser», en quelque sorte, son entêtement à continuer de la même façon. Comme vous le savez, si vous désirez les changements appropriés, il faut prendre les moyens appropriés.

Pour cela, Pierre devait apprendre à planifier et à morceler son temps pour pouvoir mieux travailler. Au début, le concept lui a été très difficile à accepter. Après que la confiance a été installée, je lui ai proposé de revoir ses habitudes pour optimiser sa méthode de travail, dans le but de lui permettre de planifier adéquatement ses «trous» d'horaire afin d'y insérer uniquement les rendez-vous payants. Il se devait d'adapter son horaire afin de ralentir le rythme, tout en prévoyant une période pour finaliser ses dossiers et s'occuper de ses clients.

Il lui a fallu faire un acte de foi. S'il se prêtait à mes suggestions, je devais l'assurer qu'il ne perdrait aucune vente. Peut-être même qu'il gagnerait plus de sous en prenant le temps de dîner chaque jour, en s'entraînant quotidiennement selon ses priorités absolues et en récupérant également certaines soirées pour ses activités personnelles.

Le bilan (sommaire) de ses valeurs fondamentales

Aventure (défis), santé (bonne alimentation, exercice, apparence physique, repos, énergie), compétence, efficacité, plaisir

(joie de vivre, humour, divertissement), réussite professionnelle, telles étaient les valeurs fondamentales de Pierre.

Cette façon de dresser le bilan de ses valeurs a été très
concluante pour lui. Il a pris conscience que les valeurs
principales le motivant à pousser toujours plus loin venaient
d'un besoin de se sentir vivant. Ayant eu, enfant, une ma-
ladie ne lui permettant pas de mener une jeunesse «ordi-
naire», il s'était fait la promesse de vivre sa vie d'adulte avec
intensité afin de rattraper le temps perdu.

Ses passions

C'est sur ce plan que son esprit passionné de tout voir, de
tout expérimenter lui a donné le vent dans les voiles nécessaire à sa réussite.

Le constat

Pour me donner un peu plus de fil à retordre, la période des
consultations tombait dans une campagne de promotion où
les enjeux du concours, les prix et la pression ne permettaient aucun faux pas à Pierre, *ni à moi*. Confiante en ce que
j'affirmais et sachant que la méthode fonctionne vraiment,
j'ai persuadé Pierre de mettre à l'épreuve ma proposition
pour une semaine. Sept jours plus tard, j'ai rencontré un
Pierre fort souriant et décontracté. Il avait doublé ses ven-
tes en la moitié moins de rendez-vous. Il se retrouvait aussi
en tête du concours et avait même décidé de prendre une
semaine de vacances à la fin de la campagne.

Je peux vous dire...

À son retour de voyage, notre champion était fier d'annoncer qu'il avait décroché la première place, obtenu le plus haut score, raflé tous les prix et en plus s'était reposé sur une plage ensoleillée.

Voyez-vous, il n'y a rien de miraculeux dans tout cela. Il suffit de travailler en harmonie avec ses capacités et ses convictions, donc «intelligemment».

Pierre a donné le ton à mes *success stories*, faisant en sorte que d'autres clients dans le même cas s'en servent comme exemple de motivation afin de battre le record.

Serez-vous le prochain *success story*? C'est à suivre!

Une femme et un chéquier

Dans ma famille, j'ai dû très tôt faire face à une dure réalité: selon mon père, je n'avais pas, comme toutes les femmes, hérité du gène des mathématiques. À son avis, la femme, par sa nature dépensière, n'est pas du tout capable de gérer un compte sans faire de chèques sans provision. Cette croyance, j'ajouterais tout à fait masculine, est devenue ma logique. Pourtant, au fond, j'étais convaincue du contraire.

Voulant prouver ma valeur en tant que jeune adulte et aussi en tant que femme, je me suis donc ouvert un compte-chèques. Malgré beaucoup de résultats satisfaisants, la croyance insidieuse a trouvé le chemin de mon inconscient et a fait en sorte que la «vérité paternelle» sur le comportement féminin a été démontrée.

Pendant quelque temps, mon parcours fut décevant et eut d'énormes répercussions sur mes finances, sur ma confiance en moi, sans compter les affronts «sur la place publique». Pourtant, il ne s'agissait que d'une programmation. Une barrière inconsciente limitait mon potentiel.

Débusquer ses limites, rester vrai et honnête avec ce que l'on est, permet de faire tomber cette barrière, de ne plus y croire comme parole d'évangile.

La bonne nouvelle est qu'une fois tombée, une barrière ne se redressera pas.

C'est ce que prétend Rita Emmett, auteure et conférencière américaine, experte de la question de la procrastination.

Exercices et outils

Exercice 1
Méthode en quatre temps

- Discernez la ou les habitudes à transformer en quatre étapes.

Déterminez l'habitude.

_____
_____
_____

1. Expliquez ce qui ne fonctionne pas.

_____
_____
_____

2. Dressez la liste des bénéfices.

_____
_____
_____

3. Évaluez les conséquences actuelles.

_____
_____
_____

4. Mesurez les conséquences de poursuivre dans la voie de l'inaction.

_____
_____
_____

Exercice 2
Ancrer une nouvelle habitude

- Selon la méthode fournie en page 103, quelles sont les trois habitudes que vous désirez prendre dans le prochain semestre?

Quoi?

_____
_____
_____

Pourquoi?

_____
_____
_____

Comment?

_____
_____
_____

Ça nécessite?

_____
_____
_____

Exercice 3
Carburez-vous à l'adrénaline?

☐ Cochez les énoncés qui vous ressemblent.

☐ Je travaille mieux sous pression.

☐ Je suis hautement productif quand je sais que les échéances approchent.

☐ Mon inspiration est accrue lorsque je sens monter une effervescence intérieure.

☐ Je suis incapable de rester à ne rien faire.

☐ Le manque de bruit, d'action m'insécurise.

☐ L'absence de routine me permet d'être plus authentique.

☐ La vie se vit sur le moment, et au diable les conséquences!

Exercice 4
Débusquer la critique interne

Certaines motivations sont mues par une petite voix intérieure. Nommez ces croyances, celles qui résonnent en vous fréquemment.

_____

_____

_____

Ces croyances sont-elles le reflet de la réalité?

_____

_____

_____

S'agit-il de barrières inconscientes entravant votre route?

_____

_____

_____

Quelles sont ces barrières?

_____

_____

_____

Outils à intégrer au quotidien
Instaurer l'habitude de se relaxer

Suis-je en mesure de rester immobile plus de cinq minutes par jour?

_____

_____

Si non, comment puis-je prendre le temps chaque jour de m'arrêter et d'apprécier le silence et l'immobilité dans mon environnement.

_____

_____

Je contrecarre les effets du stress en incorporant à mon quotidien des éléments bénéfiques:

• pour le corps

_____

_____

_____

• pour l'esprit

_____

_____

_____

Je privilégie une relaxation:

- visuelle

- auditive

- qui touche les autres sens

Notes

Chapitre 5

Les objectifs de vie

Les rêves, des pistes vers le bonheur

L a vie est constituée d'une suite de tâches à accomplir, de décisions et de choix à prendre, à faire, à repousser ou à éliminer. Les rêves font partie intégrante de ces tâches que nous devons réinsérer dans notre quotidien. Les tâches ménagères ne sont pas un but en soi!

Dans ce chapitre, je vous propose de mettre en place de façon concrète des outils que vous avez peut-être déjà utilisés. Pour commencer, nous allons construire votre coffre à outils, à partir de trucs puisés à différentes sources, mais aussi avec d'autres que j'ai adaptés et que je vous transmets dans ces pages, comme aux clients qui me consultent.

On a souvent l'attitude d'«attendre» pour vivre:

- **attendre que les enfants soient grands pour retourner aux études;**
- **attendre que les finances soient meilleures pour suivre des cours de piano;**
- **attendre que la maison soit payée pour partir en excursion au Pérou;**
- **attendre les vacances pour se payer du bon temps.**

Attendre, attendre et encore attendre, voilà autant de prétextes, de limites et de barrières qu'on érige soi-même pour se restreindre et se rendre la vie terne et pénible.

Combien d'entre nous acceptent encore de quitter cette terre sur des «j'aurais dû», des tonnes de regrets, se disant qu'il est bien trop tard pour changer ces petits ou grands rêves inassouvis mais qui, au fond, auraient demandé très peu d'efforts, surtout beaucoup d'amour propre et de confiance en soi pour être réalisés.

Tous ces regrets s'arrêtent ici. Je vous offre la baguette magique que vous attendiez pour concrétiser vos rêves. Il faudra toutefois y mettre de l'effort et «y jeter de la poudre d'or» régulièrement, afin que le chemin soit clairement tracé et la route facile à emprunter.

La plupart d'entre nous ont été élevés en entendant des phrases du genre: «Arrête de rêver en couleur, ça n'arrive que dans les contes de fées», «Tu vas être déçu si tu continues à croire en cette idée saugrenue d'être un jour millionnaire», «Contente-toi donc de ce que tu as, arrête de vouloir plus», et tant d'autres encore qui demeurent bien

ancrées dans le subconscient et tracent la voie de la médiocrité.

Par ces mots, je n'entends pas dire que tout le monde vit médiocrement – loin de là! Simplement vos rêves, vos aspirations, vos valeurs diminuent souvent au fil du temps. Si vous voulez plus, voyez **grand**! Ne vous contentez pas de ce que vous avez actuellement si vous n'en êtes pas entièrement satisfait. Si vous aspirez à mieux, faites en sorte que vos objectifs reflètent ces aspirations; créez un enthousiasme difficile à contenir en vous. Cela vous poussera à aller au-delà de vos craintes, et vous propulsera plus loin que vos doutes, en enfonçant les barrières qui vous forcent à faire du sur-place.

Les objectifs de vie

Vous avez, au fil des quatre premiers chapitres, acquis des stratégies et rempli votre coffre d'outils qui peuvent transformer votre existence quotidienne en vie de rêves. Mais à quoi ressemblent-ils, ces fameux rêves?

La stratégie

Déterminez par écrit ce que sera votre vie de rêves. Cernez vos aspirations et faites-en des objectifs à atteindre.

Vous avez peut-être déjà fait mentalement ce genre d'exercice, n'est-ce pas? Mais avez-vous déjà couché sur papier tout, absolument tout ce que vous souhaitez faire avant de mourir ?

Maintenant que vous vous connaissez un peu plus, il est important d'inclure dans vos rêves tous les aspects de votre vie (finances et carrière, relations avec les autres, bien-être, environnement). Il ne s'agit pas uniquement d'inscrire les grandes lignes, les détails sont indispensables. Pensez à tous ces petits riens qui font de vous un être plus complet, mieux centré, mieux équilibré, jouissant d'un enthousiasme renouvelé et affichant le sourire aux lèvres.

Le réalisme, c'est la clé!

Ce qui décourage bon nombre de gens, ce n'est pas tellement le manque de rêves, ni les moyens de les réaliser, mais bien le fait de devoir les expliquer en détail, d'avoir à décortiquer ses désirs. Pour beaucoup d'autres, le problème réside dans le temps alloué pour atteindre un objectif particulier, le laps de temps n'étant pas toujours réaliste.

On s'impose parfois la pression de «réaliser» ses rêves avant telle date, avant tel âge, etc. Se mettre une telle pression sur les épaules est parfois suffisant pour que certains laissent justement filer les occasions qui se présentent et qui pourraient faire en sorte que l'objectif soit atteint avant le moment prévu. Pensez-y !

À la fin de ce chapitre, vous aurez en main les outils pour déterminer vos rêves, les transposer en objectifs annuels quantifiables, qualifiables et réalisables!

Vous aurez un plan d'action diversifié et complet, en quatre étapes, quatre façons distinctes d'atteindre vos rêves et n'avoir aucun regret.

100 (sans) regrets

Combien d'entre nous se sont posé ces questions:

«Que lèguerais-je sur mon lit de mort?»

Vous avez mené votre vie en accord avec vos valeurs et les avez transmises à ceux qui vous entourent.

«Combien de gens seront présents à mes funérailles?»

Vous avez mené une vie qui a laissé tant de traces dans tant de cœurs qu'aujourd'hui on vous en remercie avec éloge.

«Que dira-t-on à mon enterrement?»

Vous avez mené votre vie selon vos principes, en faisant de votre mieux.

Cas vécu

Vivre pleinement, une mission possible
Analyse d'un cas fictif à partir de situations réelles.

Le profil

Claudette est une femme extraordinaire de 43 ans, mariée depuis une dizaine d'années, sans enfant. Elle a une expérience de vie importante, ayant connu bien des déceptions du côté de sa carrière mais pas dans son intimité. Elle en a assez d'évoluer dans un domaine qu'elle n'aime pas: la finance. Ce qui ne lui permet pas de mettre sa créativité à profit.

> *Sa démarche va la transformer en tous points
> – et moi par la même occasion.*

La raison de la consultation

Claudette me consulte pour que je l'aide à mieux cerner ses passions, afin que sa carrière puisse prendre un virage et qu'elle arrive à changer d'emploi.

Elle a déjà fait beaucoup de chemin par elle-même, à la suite d'un burnout en 1993; elle était alors à l'emploi d'une grosse firme où elle occupait des fonctions clés. Elle a quitté son poste en 1994 et s'est lancée à son compte, en

tant que consultante experte en gestion. Après avoir suivi toutes les formations, essayé d'occuper diverses niches, sans toutefois en retirer de satisfaction, Claudette voulait trouver sa véritable voie, sa mission.

L'application du coaching

Après quelques séances avec elle, j'ai pu «sentir» et déterminer que l'une des croyances les plus importantes de Claudette était le devoir. Pour elle, la notion de plaisir était réservée aux paresseux.

Je lui ai d'abord proposé de déterminer ses valeurs, ses forces et ses talents, de faire le constat de ses expériences passées et de trouver celles dans lesquelles elle se sentait la plus épanouie.

Le bilan (sommaire) de ses talents/forces et de ses expériences

Charisme, leadership, sens de l'organisation très développé, forte crédibilité et grande empathie, telles sont les principales forces de Claudette.

Le bilan (sommaire) de ses valeurs fondamentales

Intégrité, accomplissement et simplicité sont au nombre de ses valeurs.

Dans ses fonctions passées, c'est l'utilisation de ses dons qui lui a permis d'avancer et lui a valu la reconnaissance de ses pairs. Par contre, la pression de toujours plaire et d'en faire plus a eu raison d'elle et a provoqué une démotivation progressive et un épuisement professionnel.

Nous avons travaillé à dresser la liste de ce qu'elle aime et à visualiser comment elle entrevoyait sa vie dans 3 ans, 5 ans, 10 ans. Croyez-moi, ça n'a pas été facile! Claudette a opposé une très forte résistance. Mais la patience est mère de toutes les vertus, dit-on.

Le constat

Claudette est bohème dans l'âme, mais sa croyance (critique interne) qui peut se résumer ainsi: «le plaisir est réservé aux paresseux et aux méchants» était trop forte. Elle se débattait constamment entre les deux.

Ses passions
Les voyages, le plein air, les nouvelles expériences de tout ordre.

Ses rêves
Prendre une retraite anticipée, pour faire le tour de l'Amérique et vivre paisiblement.

Une répercussion grave de son ambivalence constante était un manque d'intégrité dans sa situation financière. Son goût pour l'exploration, avec des revenus insuffisants pour rencontrer ses obligations financières, avait rendu la

situation intolérable. Elle se rendait compte qu'elle était loin de réaliser son rêve de retraite anticipée.

Finalement, Claudette a réaligné ses priorités et effectué une transformation de certaines mauvaises habitudes de vie, tant financières que professionnelles.

D'une main de maître, elle a aisément établi des objectifs de redressement financier sur 36 mois, quantifié et qualifié ses objectifs professionnels, défini les clients idéaux et fait du ménage dans tout ce qui ne lui apportait pas paix, sérénité et résultats.

Je peux vous dire…

Claudette expérimente tout ce qui lui fait envie, que ce soit dans ses loisirs, dans ses hobbies et même dans le travail.

Elle a redéfini ses attentes professionnelles, elle s'affaire dans une niche particulière qui la satisfait pleinement, tout en lui permettant de bien vivre et de poursuivre son objectif de santé financière.

À NOTER

Tout au long de sa transformation, Claudette a vu sa démarche en coaching comme un «investissement». Pour certains, c'est plus facile de la considérer comme une dépense et d'y sabrer, au lieu de regarder «honnêtement» les véritables sources d'hémorragies financières.

Avec son conjoint, Claudette planifie sa retraite, qu'elle entend prendre d'ici cinq ans. Afin de mieux apprivoiser la transition, elle et lui se permettent des heures de travail écourtées durant l'été, ce qui leur offre l'occasion de voyager à leur guise.

Tu as toute mon admiration, Claudette, bravo encore ma chère!

Conclusion

La force qui émane de cette femme est pour moi une source d'inspiration.

> **ATTENTION!**
> Le cas dépeint ici est basé sur une situation réelle qui a demandé un travail progressif sur plusieurs mois. Il n'y a pas de recette miracle qui agit juste en claquant des doigts.

Claudette m'a donné la preuve que c'est possible, que chacun a ce qu'il faut en lui et surtout que chacun mérite de vivre la vie désirée.

Exercice et outils

Définir mes objectifs

Quelles sont les actions à prendre pour réaliser mes objectifs?

_____

_____

_____

Comment mettre mon entourage à contribution afin de m'aider?

_____

_____

_____

Quels défis pourrais-je relever?

_____

_____

_____

Quelles sont les ressources pour m'aider?

_____

_____

_____

Comment suivre mes progrès?

_____
_____
_____

Quelle contribution à l'univers vais-je laisser à ma mort?

_____
_____
_____

Étape 1
100 (sans) regrets en quatre étapes

• Dressez la liste de 100 objectifs à atteindre avant de mourir afin de partir «sans regrets».

ASTUCE

Pour vous permettre de rêver en grand, écrivez votre liste en moins d'une heure sans arrêt ni pause. Cette façon de faire ne laissera aucune place à la censure «cérébrale». Oui, oui, vous avez bien lu! Allez-y!

1. Où vous voyez-vous à la retraite?
2. Que comptez-vous accomplir?
3. Que voulez-vous être en mesure de léguer?
4. Que désirez-vous acquérir?
5. Que voulez-vous posséder?
6. Qui voulez-vous devenir?
7. Que voulez-vous apprendre?

Regrets	1 an	3 ans	5 ans	10 ans
1				
2				
3				
4				
5				
6				
7				
8				
9				
10				
11				
12				
13				
14				
15				
16				
17				
18				
19				
20				
21				
22				
23				
24				
25				
26				
27				
28				
29				
30				
31				
32				
33				
34				
35				
36				
37				

Regrets	1 an	3 ans	5 ans	10 ans
38				
39				
40				
41				
42				
43				
44				
45				
46				
47				
48				
49				
50				
51				
52				
53				
54				
55				
56				
57				
58				
59				
60				
61				
62				
63				
64				
65				
66				
67				
68				
69				
70				
71				
72				
73				
74				

Regrets	1 an	3 ans	5 ans	10 ans
75				
76				
77				
78				
79				
80				
81				
82				
83				
84				
85				
86				
87				
88				
89				
90				
91				
92				
93				
94				
95				
96				
97				
98				
99				
100				

Étape 2
Les 12 travaux

1. Maintenant, échelonnez vos rêves sur 1 an, sur 3 ans et sur 5 ans.
2. Évaluez chaque rêve, comme s'il s'agissait d'un processus d'élimination. Dressez une liste de 12 objectifs à atteindre en 12 mois (c'est-à-dire trois objectifs par trimestre). L'un de mes clients les a affectueusement nommés ses 12 travaux.
3. Reportez-vous régulièrement à cette liste, vous serez ainsi en mesure de suivre vos progrès. Cela vous donnera aussi l'énergie nécessaire et une envie régénérée de poursuivre votre démarche. N'oubliez pas que chaque rêve peut être transformé en un objectif réalisable.
4. Insérez vos objectifs dans votre vie, en faisant en sorte de modifier les habitudes qui vous en éloignent pour adopter celles qui vous en rapprochent.

Pour vous aider à bien saisir ce qu'il vous faudra entreprendre pour la réalisation de chacun de vos 12 travaux, j'ai mis à votre disposition quelques questions qui serviront d'amorce de réflexion, à la page 137 (Exercice – Définir mes objectifs).

Étape 3
La vision

> - Vous avez maintenant établi vos objectifs, vous les avez concrètement sélectionnés et vous possédez votre plan de 12 travaux à réaliser (des rêves transformés en objectifs).
> - L'étape suivante consiste à vous permettre un accès à une vision globale, plus grande que nature de votre nouvelle vie.
> - À quoi ressemblera votre vie, une fois transformée, dans 10 ans, 15 ans, 20 ans?

1. Permettez-vous d'écrire votre histoire avec éloquence, tout en couleur, remplie de détails stimulant vos cinq sens.
2. Allez-y! Rêvez avec grandiloquence! Vous en avez les capacités. Cette histoire est la vôtre dans ses moindres détails.
3. N'oubliez pas d'inclure dans votre histoire tous les aspects de votre vie. Utilisez la première personne du singulier, conjuguez au présent uniquement. Votre succès réside dans votre engagement.

Un exemple? Commencez ainsi:

«Wow! cette année de ma vie est extra, parce que je suis…» (À vous maintenant de rêver votre vie!)

Étape 4
Tableau de votre vie

L'écriture n'est pas votre tasse de thé? Aucun problème! Il en va ainsi pour beaucoup, y compris moi-même. C'est un apprentissage, mais si toutefois la tâche vous rebute, je vous propose en remplacement ou en complément un autre moyen de mieux avoir accès à votre vision globale.

Il s'agit de faire votre tableau de vie, de créer une représentation de vos rêves, par un collage d'images, de mots ayant une résonance profonde pour vous. Cette technique n'est pas nouvelle, on peut la trouver dans beaucoup d'ouvrages de référence. Mais elle est particulièrement efficace et très amusante. Laissez-vous tenter!

L'image qui vous «appelle» inconsciemment peut ne pas être bien représentée, mais elle traduit l'état auquel vous aspirez, elle reflète un lieu exerçant un attrait sur vous. Elle peut ne pas avoir de sens concret à première vue, mais elle est issue de votre subconscient.

Règles de base pour réaliser un tableau de vie

Attention de ne pas découper le magazine préféré de votre conjoint.

• Faites cet exercice avec une réelle envie de jouer, de vous amuser. Ramassez tous les magazines, revues, calendriers possibles, et découpez-les.

- Insérez votre photo (une qui vous met particulièrement en valeur) au centre et dressez votre tableau à votre guise. (Cette année, ma photo trône au centre d'une magnifique image de fleurs aux couleurs vives.)
- Trouvez un thème à votre tableau (l'idée centrale de la transformation).
- Inscrivez la période ciblée, habituellement sur un an (par exemple, ma vie, mes passions pour l'année 2003).
- Collectionnez les images, les mots qui vous plaisent, même s'il n'y a pas de liens apparents entre eux et l'objet de votre désir (rêve). Lorsque vous aurez suffisamment d'images :
  - procurez-vous un carton blanc d'assez bonnes dimensions afin d'y avoir l'espace nécessaire pour y coller vos trouvailles, et pourquoi pas deux cartons !
  - ne vous censurez pas au montage, donnez libre cours à votre imagination (utilisez les trésors de bricolage des enfants : colle, paillettes, autocollants, etc.).
- Affichez votre tableau de vie dans un endroit visible, là où vos yeux pourront rapidement s'y perdre.
- Ce petit exercice est agréable à faire en famille, les enfants adorent !

Notes

Notes

Conclusion

eux qui me connaissent pourront vous dire à quel
point je suis parfois «renversante» avec mes métho-
des et mes façons de faire.

C'est pourquoi je peux vous affirmer que suis restée
fidèle à ma personne dans cet ouvrage.

Au tout début de ce guide, je vous disais qu'il fallait en
respecter le sens de lecture et qu'il était préférable de par-
courir les chapitres dans l'ordre.

En conclusion, je vous affirme maintenant le contraire:
il n'y a pas de droit fil de lecture.

Relisez-le une seconde fois, dans l'ordre inverse cette
fois, en commençant par le chapitre 5, et vous obtiendrez
tout simplement votre plan de transformation de votre vie!

**Chapitre 5: Visualisez vos rêves – de trois façons
possibles.**

**Chapitre 4: Changez vos habitudes afin d'atteindre
vos rêves.**

Chapitre 3: Déterminez vos priorités de vie (vos gros cailloux), apprenez-en plus sur vous-même et ne tolérez plus ce qui vous entrave.

Chapitre 2: Reconnaissez vos talents et vos forces afin de les mettre à contribution chaque jour.

Chapitre 1: Cernez vos valeurs fondamentales.

Je vous souhaite bonne route dans votre vie de rêves. Si vous rencontrez des obstacles, je ne serais pas surprise que ce soit des «tests» que l'univers vous envoie, juste pour vous permettre de vérifier le sérieux de votre engagement à transformer votre vie. Alors courage, choisissez sagement, choisissez avec votre âme. Votre intuition demeure votre meilleur guide.

J'espère que vous aurez un parcours enrichissant et que ce livre vous permettra d'explorer un peu plus qui vous êtes et de découvrir comment être encore plus extraordinaire.

Si vous êtes resté sur votre appétit, si vous voulez aller plus en profondeur dans votre démarche, je vous invite à continuer à faire les pas nécessaires. J'espère que vous aurez acquis la motivation et le courage nécessaires pour faire appel à de l'aide extérieure. N'oubliez pas que la vie, parfois, c'est du sport, alors faites comme les athlètes, améliorez vos chances de réussite, engagez un coach!

Vous pouvez en apprendre plus en visitant mon site Web: www.coach-visions.com

Vous pouvez aussi assister à mes conférences, suivre mes ateliers, me poser vos questions. Je vous invite à me faire part de vos transformations.

Bonne vie et à bientôt!

Bibliographie

EMMETT, Rita, *Ces gens qui remettent tout à demain*, Les Éditions de l'Homme, Montréal, 2001.

FORD, Debbie, *The Dark Side of the Light Chasers*, Riverhead Books, New York, 1998.

HANSEN, Mark Victor, CANFIELD, Jack et HEWITT, Les, *Power of Focus*, série *Bouillon de poulet pour l'âme*, Health Communication, Inc., Deerfield Beach, Floride, 2002.

McGRAW, Dr Philip, *Life Strategies*, Hyperion Press, 2000.

MONTBOURQUETTE, Jean, *À chacun sa mission*, Éditions Novalis, Montréal, (n.é.) 2001.

MORGENSTERN, Julie, *Organizing from the Inside Out*, Owl Books, 1re édition, 1998.

MYSS, Caroline, *Contrats sacrés*, Éditions Ariane inc., Montréal, 2002.

RICHARDSON, Cheryl, *Take Time for Your Life*, Broadway Books, New York, 1999.

VÉZINA, Jean-François, *Les hasards nécessaires*, Les Éditions de l'Homme, Montréal, 2001.

Ressources

Institute for Integrative Coaching

LLC San Diego CA
Tél.: 1 800 655-4016
www.debbieford.com

Technique Alexander

Toronto, Ontario
Tél.: 1 877 598-8879
www.canstat.ca

Dan Sullivan

Président de The Strategic Coach, Inc.
Toronto, Ontario
www.strategiccoach.com

Musique zen

www.spiritsoleil.com/spirit-boutique-musique-music-zen.htm

Table des matières

EXTRAS

Verres d'eau :   Verres d'eau :

○ ○ ○ ○ ○ ○ ○   ○ ○ ○ ○ ○ ○ ○

Mes "3" priorités aujourd'hui :   Mes "3" priorités aujourd'hui :

_____   _____
_____   _____
_____   _____

J'ai accompli :   J'ai accompli :

_____   _____
_____   _____
_____   _____

Je suis reconnaissante :   Je suis reconnaissante :

1- _____   1- _____

2- _____   2- _____

3- _____   3- _____

4- _____   4- _____

5- _____   5- _____

○ Notes : _____   ○ Notes : _____

_____   _____
_____   _____
_____   _____
_____   _____

Culture

Sites Web à visiter	Sites Web favoris	Cinéma - à voir

Culture

Livre/musique/film/ logiciel à acheter	Livre/musique/film/ logiciel à acheter	Livre/musique/film/ logiciel à acheter
Titre :	Titre :	Titre :
Auteur :	Auteur :	Auteur :
Éditeur :	Éditeur :	Éditeur :
Description :	Description :	Description :
Prix :	Prix :	Prix :
ISBN :	ISBN :	ISBN :
Titre :	Titre :	Titre :
Auteur :	Auteur :	Auteur :
Éditeur :	Éditeur :	Éditeur :
Description :	Description :	Description :
Prix :	Prix :	Prix :
ISBN :	ISBN :	ISBN :
Titre :	Titre :	Titre :
Auteur :	Auteur :	Auteur :
Éditeur :	Éditeur :	Éditeur :
Description :	Description :	Description :
Prix :	Prix :	Prix :
ISBN :	ISBN :	ISBN :
Titre :	Titre :	Titre :
Auteur :	Auteur :	Auteur :
Éditeur :	Éditeur :	Éditeur :
Description :	Description :	Description :
Prix :	Prix :	Prix :
ISBN :	ISBN :	ISBN :

À méditer

collages, découpages, articles, pensées, dessins, textes, chansons, couleurs